Sommaire

D1157620

Introduction

La principale particularité d'Access, outre sa puissance, est sa facilité d'utilisation. Aucune connaissance de la programmation n'est en effet nécessaire pour construire une application puissante à l'aide de ce logiciel. Une table (l'équivalent d'un fichier dans la terminologie traditionnelle) peut être créée en quelques minutes, à l'aide d'une interface entièrement graphique et d'un *assistant*. L'établissement de relations entre tables est instantanée. Les requêtes sont créées en faisant simplement glisser les noms des champs dans une fenêtre. Le gain de temps le plus spectaculaire concerne la programmation des formulaires et des états. Ces opérations, qui nécessitaient des jours de programmation et de mise au point, ne demandent plus que quelques secondes, toujours grâce à l'aide des *assistants*. Les bases de données sont maintenant aussi simples à utiliser que les traitements de texte ou les tableurs.

Access possède également des fonctions d'échange de données capables de manipuler de nombreux formats de fichiers compatibles avec d'autres bases de données ou d'autres applications, un langage de macrocommandes permettant d'automatiser les tâches, un langage de programmation puissant (Access Basic) permettant de développer de véritables applications, et offre la possibilité de créer automatiquement des requêtes SQL. Access supporte également toutes les fonctions de Windows, comme les échanges DDE et les documents OLE, et autorise l'échange de données avec tous les serveurs d'objets. Un serveur de sons et un serveur de graphiques sont d'ailleurs livrés avec l'application.

Caractéristiques d'Access

Access fonctionne sur les micro-ordinateurs équipés d'un 80386SX au moins et de Windows 3.1 ou d'une version postérieure. Il est cependant fortement recommandé d'utiliser un ordinateur équipé au moins d'un 486, en particulier pour un bon fonctionnement des assistants. Les principales caractéristiques d'Access sont les suivantes :

- La taille maximale d'une base de données est de 128 Mo. Il est en fait possible de créer des bases de données de taille illimitée en utilisant des tables attachées se trouvant dans des fichiers externes.

- Une base de données peut contenir 32 768 tables, dont 254 peuvent être ouvertes simultanément, et 32 768 requêtes.

- Microsoft Access est capable de gérer 255 accès simultanés à une base de données.

- La taille maximale d'une table est de 128 Mo.

- Une table peut contenir 255 champs.

- Un champ de type texte peut contenir 255 caractères (32 000 pour un champ de type mémo).

- Une table peut contenir 32 index.

- Une requête peut utiliser 16 tables et 255 champs. Les requêtes peuvent être imbriquées sur 50 niveaux et peuvent utiliser 10 niveaux de tri.

- Les formulaires et les états peuvent être imbriqués sur trois niveaux.

- Un état peut contenir 65 536 pages et 10 champs ou expressions de tri ou de regroupement.

- Une macro peut contenir 999 actions.

- Access peut convertir des données dans les principaux formats existants : texte délimité, texte de longueur fixe, Excel, dBASE, Lotus, Paradox, FoxPro, Btrieve, etc.

- Bien entendu, Access exploite toutes les possibilités de Windows : utilisation des polices, compatibilité avec les imprimantes installées, gestion des échanges dynamiques avec les autres applications, gestion de la mémoire étendue, exploitation des coprocesseurs arithmétiques, compatibilité avec l'utilisation en réseau, etc.

- La division de l'écran en plusieurs fenêtres peut être contrôlée automatiquement par Access.

- Vous pouvez ajouter des commentaires vocaux à vos formulaires.

- Les *assistants* prennent totalement en charge la création de tables, de requêtes, de formulaires et d'états.

- Une aide en ligne particulièrement efficace est disponible. Le *Conseiller* vous permet d'apprendre à utiliser Access tout en créant votre base de données.

Toutes ces caractéristiques font d'Access un produit vraiment nouveau, dont la philosophie est entièrement axée vers la simplicité et la souplesse d'utilisation, tout en étant un des plus puissants du marché.

Conventions

Dans ce livre, nous avons respecté un certain nombre de conventions.

Conventions typographiques

Les noms des menus, des commandes, des options, des boutons, des cases à cocher et des boîtes de dialogue sont indiqués en italique. Exemples :

>Le menu *Fichier*.

>La commande *Enregistrer*.

>L'option *Demander toujours*.

>La boîte de dialogue *Configuration*.

Les caractères que vous devez taper textuellement sont indiqués en gras :

>Tapez **15456**.

Les noms des touches sont indiqués de la façon suivante :

>La touche ENTRÉE.

Un signe plus (+) entre deux touches indique que la première doit être maintenue enfoncée pendant la frappe de la seconde. Exemples :

>Tapez CTRL+E

signifie "Maintenez la touche CTRL enfoncée et tapez la touche E".

Tapez MAJ+CTRL+ESPACE

signifie "Maintenez les touches MAJ et CTRL enfoncées, et pressez la barre d'espacement".

Deux touches séparées par une virgule doivent être tapées successivement. Exemple :

Tapez ALT+I, T

signifie "Maintenez la touche ALT enfoncée et pressez la touche I, puis relâchez ces deux touches et tapez la touche T".

Les noms des fichiers sont indiqués en italique. Exemple :

Les fichiers *Config.sys* et *Autoexec.bat.*

Conventions de vocabulaire

Dans ce livre, nous avons essayé au maximum de respecter le vocabulaire de Windows. Les expressions et les mots courants tels que *sélectionner, pointer, cliquer, faire glisser* sont employés dans leur sens habituel.

L'expression *cliquer deux fois* signifie cliquer rapidement deux fois de suite. Lorsqu'il vous est demandé de cliquer deux fois, si vous n'obtenez pas le résultat prévu, c'est peut-être parce que vous avez attendu trop longtemps entre les deux clics. Dans ce cas, recommencez plus rapidement.

Les boutons de la souris

Votre souris comporte normalement deux boutons. Lorsque nous parlerons du bouton de la souris sans plus de précision, il s'agira toujours du bouton de gauche.

CHAPITRE 1

Installation d'Access

Pour pouvoir utiliser Access, il vous faut l'installer sur votre ordinateur. Celui-ci doit être équipé de MS-DOS et de Windows. Avant de procéder à l'installation, vous devez vérifier que vous possédez la configuration nécessaire. Vous devez également réaliser des copies de sauvegarde de vos disquettes. N'oubliez pas que vous n'avez le droit d'effectuer ces copies que dans le but d'archivage.

Configuration nécessaire

Pour utiliser Access, vous devez disposer d'une configuration matérielle et logicielle adaptée. Il faut noter qu'entre la configuration minimale et une configuration optimale les différences de performances seront considérables.

- Un compatible PC ou PS/2 équipé d'un 80386, 80486 ou Pentium. Si un 80386 suffit en théorie, Access demande au minimum un 486SX pour s'exprimer. Le meilleur rapport performances/prix est obtenu aujourd'hui (premier semestre 1994) avec un 486DX 33.

- 4 Mo de mémoire au minimum, plus si vous voulez construire des applications complexes ou utiliser simultanément d'autres programmes.

- Un disque dur disposant d'un espace libre d'au moins 8 Mo pour installer Access. Si vous souhaitez installer tous les utilitaires, 24 Mo sont indispensables. Vous aurez également besoin d'espace pour stocker vos fichiers. Tout cela suppose que Windows est déjà installé sur votre disque. Dans le cas contraire, vous devez disposer de 8 à 10 Mo supplémentaires.

- Au moins un lecteur de disquettes haute densité.

- Un écran compatible Windows. Pour profiter pleinement des qualités de l'affichage, un écran VGA (640 x 480) au moins est conseillé. Un écran de résolution supérieure donnera un confort d'utilisation appréciable, à condition que sa taille soit adaptée (15 pouces pour 800 x 600, 17 pouces pour 1 024 x 768).

- Une souris n'est en principe pas indispensable. Il est cependant fort peu pratique d'utiliser Access, comme Windows, sans cet accessoire.

- Une imprimante compatible Windows. Bien que l'imprimante ne soit pas indispensable non plus, la plupart des utilisateurs ont besoin d'imprimer des états.

- MS-DOS version 3.1 ou une version ultérieure. La version 5.0 ou postérieure est fortement conseillée en raison de sa gestion de la mémoire nettement plus performante. (Préférez la version 6.2 et évitez la 6.0.)

- Windows 3.1 ou une version ultérieure (y compris Windows pour Workgroups ou Windows NT).

Installation de Windows

Pour installer Access, vous devez posséder une version de Windows correctement configurée. Si ce n'est pas le cas, procédez tout d'abord à l'installation de Windows. Il s'agit d'une opération très simple. Introduisez la disquette portant le numéro 1 dans le lecteur de disquettes, puis tapez :

```
a:install
```

sur la ligne de commande du DOS et pressez la touche ENTRÉE. Laissez-vous guider ensuite par les messages affichés. Les fichiers de Windows sont copiés automatiquement sur votre disque dur. Répondez aux messages vous demandant des détails sur la configuration et les applications que vous possédez. N'ayez pas peur de faire des erreurs. Vous pourrez toujours relancer le programme d'installation plus tard pour modifier la configuration.

Dans la plupart des cas, le programme d'installation détermine d'ailleurs automatiquement les réponses aux questions posées et vous demande seulement de les confirmer. Parmi les décisions que vous pouvez prendre, citons :

- Le choix d'un écran VGA monochrome alors que votre écran est reconnu par le programme comme un écran couleur. Ce choix peut être nécessaire avec des écrans LCD ou plasma dont le nombre de niveaux de gris est insuffisant pour obtenir un affichage correct en mode couleur.

- Le choix des imprimantes à installer. (Le programme est en effet incapable de reconnaître la ou les imprimantes connectées. Par ailleurs, il est conseillé d'installer toutes les imprimantes que vous pouvez être amené à utiliser.)

- La modification automatique de vos fichiers *Autoexec.bat* et *Config.sys*. Contrairement à certaines idées reçues, il n'y a aucun inconvénient à accepter cette modification automatique.

Si votre ordinateur est équipé de périphériques non reconnus par le programme d'installation, vous devrez installer les pilotes de périphériques correspondants sous DOS. Reportez-vous pour cela à l'Annexe A de la documentation de Windows.

Installation d'Access

Pour installer Access, Windows doit être en fonctionnement. Procédez de la façon suivante :

1. Placez la disquette n° 1 dans le lecteur.

2. Si le gestionnaire de programmes n'est pas ouvert, localisez son icône, placez-y le pointeur et cliquez deux fois :

3. Dans le gestionnaire de programmes, déroulez le menu *Fichier* et sélectionnez la commande *Exécuter*, ou tapez ALT+F puis E. La boîte de dialogue suivante est affichée :

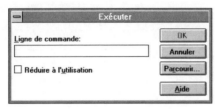

4. Dans la zone *Ligne de commande*, tapez :

   a:install

   et pressez la touche ENTRÉE ou cliquez sur *OK*. Après un message d'information, l'écran de la Figure 1.1 est affiché. Il vous permet de personnaliser votre installation en indiquant votre nom et celui de votre société. Votre nom sera utilisé pour reconnaître vos fichiers. Il faut noter que ces informations ne vous sont demandées que lors de la première installation. Elles sont ensuite enregistrées sur la disquette du programme.

5. Tapez votre nom dans la zone *Nom* puis pressez la touche TABULATION.

6. Dans la zone *Organisation*, tapez le nom de votre société. Cliquez ensuite sur *OK* ou tapez la touche ENTRÉE. Le programme vous demande de vérifier les informations tapées.

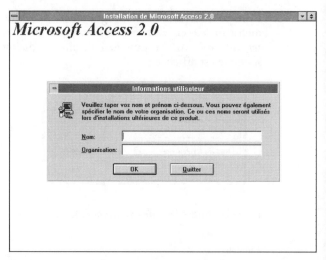

Figure 1.1 : Entrée de votre nom et de celui de votre société.

Vérifiez très attentivement si votre nom et celui de votre société ont été tapés correctement. En effet, si vous avez fait une erreur, vous n'aurez plus la possibilité de la corriger.

7. Si tout est correct, cliquez sur *OK* ou tapez la touche ENTRÉE. Le programme affiche alors votre numéro de série.

8. Notez ce numéro sur la carte d'inscription que vous devez renvoyer à Microsoft et cliquez sur *OK*. L'écran de la Figure 1.2 est affiché.

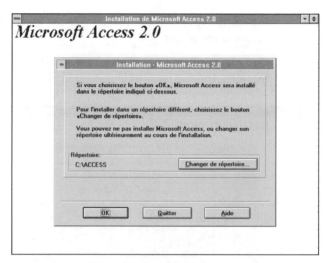

Figure 1.2 : Choix d'un répertoire pour l'installation d'Access.

9. Le programme d'installation vous propose maintenant d'installer Access dans le répertoire *C:\ACCESS* (si vous avez démarré depuis l'unité C:). Vous pouvez indiquer un autre répertoire en cliquant sur *Changer de répertoire* ou accepter le répertoire proposé. Cliquez ensuite sur *OK* ou tapez la touche ENTRÉE.

10. Si le répertoire choisi n'existe pas, le programme vous demande si vous souhaitez le créer. Si vous répondez *Non*, vous êtes ramené à l'étape précédente et vous devez indiquer un autre répertoire. Cliquez sur *Oui* ou tapez la touche ENTRÉE.

   Si le répertoire choisi contient une ancienne version d'Access, le programme d'installation vous offre l'opportunité de la conserver en indiquant un autre répertoire (C:\ACCESS2, par exemple) ou de la remplacer.

11. Le programme d'installation affiche alors trois options, comme on peut le voir sur la Figure 1.3.

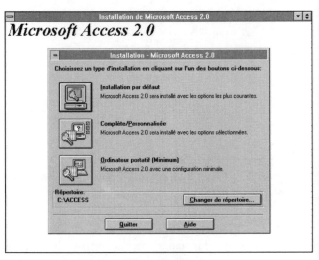

Figure 1.3 : Les options d'installation.

- L'installation complète demande 24 Mo d'espace libre sur le disque et comprend tous les utilitaires et tous les fichiers d'Access.

- L'installation minimale ne demande que 8 Mo et ne comporte que les éléments strictement nécessaires à l'utilisation d'Access.

- L'installation personnalisée vous permet de choisir les options à installer en fonction de vos besoins et de l'espace dont vous disposez.

Notez que si vous choisissez une installation minimale ou personnalisée, vous pourrez toujours installer les options supplémentaires en relançant le programme *Install*.

Si vous choisissez l'option *Installation personnalisée*, l'écran de la Figure 1.4 est affiché.

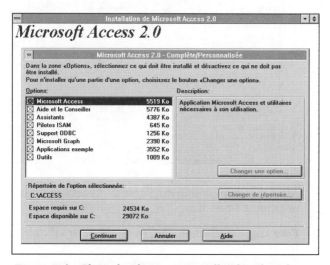

Figure 1.4 : Choix des éléments à installer dans le cadre d'une installation personnalisée.

Vous pouvez sélectionner ou désélectionner les différentes options à installer en cliquant dans les cases à cocher correspondantes. L'espace disponible est indiqué dans l'angle inférieur gauche de l'écran. L'espace nécessaire pour installer les options sélectionnées est indiqué juste au-dessus. Si l'espace disponible est inférieur à l'espace nécessaire, vous devez désélectionner certaines options. Si vous ne le faites pas, l'installation échouera.

Le bouton *Changer une option* permet de sélectionner les éléments de façon plus précise. Pour l'aide en ligne, il affiche la boîte de dialogue suivante :

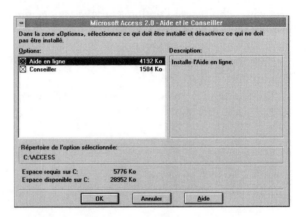

Ainsi, en désélectionnant l'option *Conseiller*, vous économiserez 1 584 Ko.

Pour l'option *Assistants*, la liste suivante est affichée :

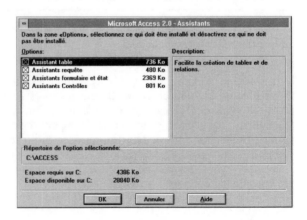

L'option *Pilotes ISAM* permet de choisir les bases de données auxquelles vous pourrez accéder et de configurer l'installation des gestionnaires :

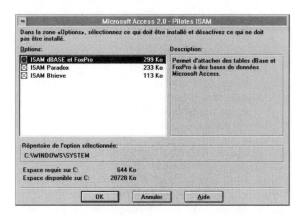

Désélectionnez les options dont vous pensez ne pas avoir besoin. Vous pourrez les réinstaller plus tard en relançant le programme *Install.*

- L'installation de l'aide nécessite près de 6 Mo. Il est cependant peu conseillé de s'en priver, à moins de ne pas pouvoir faire autrement.

- Les *assistants* occupent un peu plus de 4 Mo. Leur présence est cependant pratiquement indispensable pour tirer le meilleur parti d'Access.

- L'ensemble des pilotes ISAM et ODBC occupe près de 2 Mo. Si vous ne possédez pas de fichiers dans les formats correspondants, vous n'avez aucune raison de les installer.

- Microsoft Graph requiert un peu plus de 2 Mo. Si vous ne souhaitez pas produire de graphiques, ne l'installez pas. (Vous en aurez cependant besoin pour certains exemples de ce livre.)

- Les fichiers exemples nécessitent près de 3,5 Mo. Ils sont utiles pour tester l'installation. Il est donc conseillé de les installer et de les effacer plus tard.

- Les outils occupent 1 Mo. Ils ne sont pas du tout indispensables. En effet, il s'agit principalement du programme d'installation d'Access (celui que vous êtes en train d'utiliser en ce moment). Conservez cependant *Info MS* qui est un programme très utile et qui n'occupe que 81 Ko.

Une fois les options d'installation configurées, cliquez sur *Continuer*. Le programme vous demande maintenant si vous souhaitez installer Access dans le groupe *Microsoft Office* ou dans un autre groupe. Acceptez ou indiquez le groupe choisi. Introduisez ensuite les disquettes que vous demande le programme d'installation.

Attention : Si vous possédez une version antérieure de Microsoft Graph, le programme vous informe que sa mise à jour risque de vous empêcher de partager vos graphiques avec les utilisateurs des anciennes versions. Vous pouvez alors refuser la mise à jour et conserver la version existante. Une autre raison peut vous pousser à faire ce choix : la version précédente occupait 350 Ko alors que la version 5 nécessite plus de 2 Mo !

Une fois l'installation terminée, Access vous demande l'autorisation de relancer Windows. Acceptez en cliquant sur *Continuer* ou en tapant la touche ENTRÉE.

Test de la configuration

Lorsque l'installation est terminée, la fenêtre du groupe *Microsoft Office* est affichée (Figure 1.5).

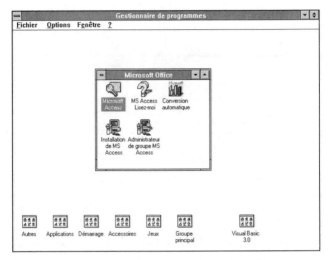

Figure 1.5 : La fenêtre du groupe Microsoft Office.

Cette fenêtre contient cinq icônes (moins si vous n'avez pas installé tous les composants), dont celle d'Access. Cliquez deux fois sur l'icône d'Access pour lancer le programme. Un écran de présentation est affiché, comme indiqué sur la Figure 1.6.

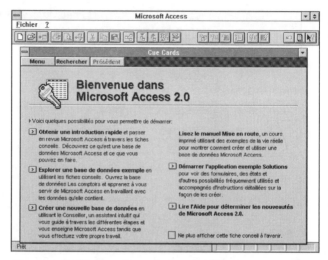

Figure 1.6 : L'écran de présentation d'Access.

Si vous le souhaitez, vous pouvez vous laisser guider par cette *fiche conseil* pour découvrir le programme. Si vous préférez travailler directement avec Access, cliquez sur l'option *Ne plus afficher cette fiche conseil à l'avenir* (dans l'angle inférieur droit de la fenêtre). Tapez ensuite les touches ALT+F4 ou déroulez le menu Système et cliquez sur *Fermer*. L'écran principal d'Access est alors affiché (Figure 1.7).

Quitter Access

Si tout a fonctionné correctement, vous pouvez passer au Chapitre 1. Si toutefois vous désirez interrompre votre travail, vous pouvez quitter Access en procédant de la façon suivante :

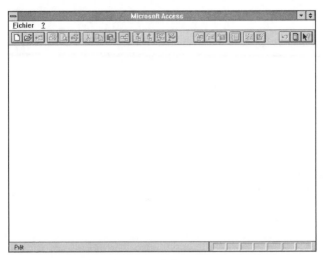

Figure 1.7 : L'écran principal d'Access.

1. Déroulez le menu *Fichier* en cliquant sur son nom dans la barre de menus ou en tapant ALT+F.

2. Activez la commande *Quitter* en cliquant dessus ou en tapant la touche Q.

Vous avez maintenant installé Access (et Windows, le cas échéant) et vérifié que l'installation était correcte. Vous êtes désormais prêt à commencer votre apprentissage.

Votre première base de données

Les données gérées par Microsoft Access sont placées dans des *tables*. Il existe entre ces tables des *relations*. Une table est un ensemble de données présentant les mêmes caractéristiques. Par exemple, une liste de clients avec leurs adresses et leurs numéros de téléphone peut constituer une table. Une liste de fournisseurs, une liste de produits constitueront d'autres tables. Chaque élément d'une table (un client, un fournisseur, un produit) constitue un *enregistrement*.

Une *relation* peut être créée entre deux tables qui comportent une donnée commune. Par exemple, la table des produits comportera une zone pour le numéro de fournisseur. Ce numéro se retrouvant dans la table des fournisseurs, il sera possible de créer une relation entre ces deux tables.

Organisation des données

Dans ce chapitre, nous créerons une table de clients. La Figure 2.1 montre les données que nous ferons figurer sur la fiche d'un client.

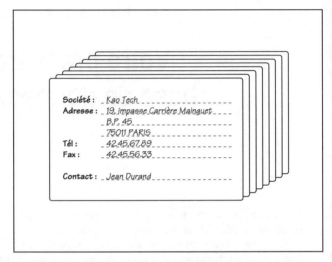

Figure 2.1 : Un fichier clients en carton.

Elles sont réparties en cinq rubriques, ou *champs*. Nous pourrions créer une table Access reproduisant ces cinq champs. Cependant, une rapide réflexion nous montre qu'il est préférable de placer le code postal et la ville dans des champs séparés. Ainsi, nous pourrons utiliser le code postal pour effectuer des tris et des sélections de clients. La structure de la table sera donc la suivante :

> **Société**
> **Adresse**
> **Code Postal**
> **Ville**
> **Téléphone**
> **Fax**
> **Contact**

Création d'une base de données

Chargez Microsoft Access en cliquant deux fois sur son icône.

Après quelques secondes et un écran d'information, l'écran principal d'Access doit être affiché.

Nous décrirons les différents éléments de l'écran au chapitre suivant. Pour l'instant, suivez simplement les instructions afin de créer la table des clients.

1. Ouvrez le menu *Fichier*.

2. Sélectionnez l'option *Nouvelle base de données*.

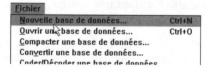

La boîte de dialogue de la Figure 2.2 est affichée. Dans la zone *Nom de fichier*, Access nous propose de nommer la base de données *base1.mdb*.

3. Tapez le nom que vous voulez donner à la base. Nous lui donnerons le nom de la société, **Plumier**. Microsoft Access ajoute automatiquement l'extension *.mdb* (*Microsoft Data Base*) à la fin du nom, sauf si vous indiquez une extension différente.

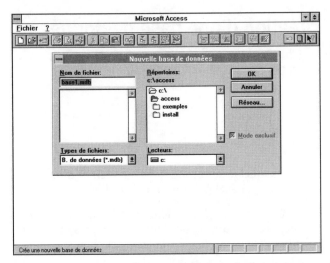

Figure 2.2 : Création d'une nouvelle base de données.

4. Cliquez sur *OK.* Votre nouvelle base de données est affichée dans une fenêtre, comme le montre la Figure 2.3.

Sur le côté gauche de la fenêtre se trouvent six *onglets* portant les inscriptions *Table, Requête, Form., Etat, Macro* et *Module.*

Création d'une table

Pour créer une table, procédez de la façon suivante :

1. Vérifiez que l'onglet *Table* se trouve bien au premier plan. Si ce n'est pas le cas, cliquez sur cet onglet.

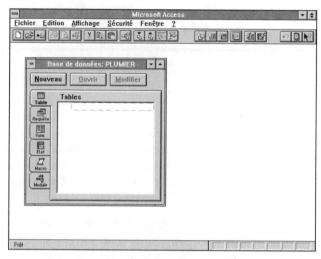

Figure 2.3 : La base de données.

2. Cliquez sur le bouton *Nouveau.*

Access affiche une boîte de dialogue pour vous proposer l'aide de l'assistant *Table* :

Cet assistant vous propose une liste de trente-cinq tables à usage professionnel ou privé, prêtes à l'emploi. Il peut vous faire gagner du temps, mais il est préférable, pour l'instant, d'apprendre à créer une table de toutes pièces.

Cliquez sur le bouton *Table vierge*. Une nouvelle fenêtre contenant une table vierge est affichée, comme on peut le voir sur la Figure 2.4.

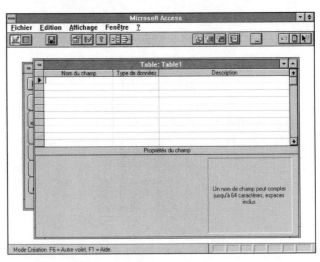

Figure 2.4 : La table vierge.

Cette fenêtre comporte trois colonnes pour les noms, les types et la description des champs. A gauche de la première colonne de la première ligne se trouve un triangle noir pointant vers la droite. Il indique l'enregistrement courant.

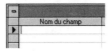

Par ailleurs, un pointeur de texte clignote dans la première colonne. Si vous tapez du texte, il s'inscrira à cet endroit.

3.   Tapez le nom du premier champ, **Société**. Si vous faites une faute de frappe, effacez-la en tapant la touche ARRIERE.

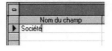

4.   Tapez la touche TAB. Le pointeur de texte passe dans la colonne suivante. Le type de données proposé par défaut est *Texte*. Un bouton est affiché à droite de la colonne. Il permet d'afficher les différents types de données disponibles. Vous pouvez obtenir le même résultat en tapant les touches ALT+BAS. Le type *Texte* convenant parfaitement, vous pouvez simplement taper la touche TAB pour passer à la colonne suivante.

5.   Dans la colonne *Description*, tapez la description du champ, par exemple **Nom de la société**. La

description vous aide à vous souvenir de la nature des champs.

La Figure 2.5 montre le premier champ saisi. Notez que la partie inférieure de la fenêtre contient maintenant la liste des propriétés du champ. Quatre de ces propriétés ont une valeur : la taille (50), et les rubriques *Null interdit*, *Chaîne vide autorisée* et *Indexé*, qui contiennent la valeur *Non*.

Figure 2.5 : Le premier champ saisi.

6. Pour passer au champ suivant, tapez la touche TAB. Le pointeur de champ courant passe à la ligne suivante.

7. Tapez **Adresse**, puis la touche TAB.

8. Tapez la touche TAB pour accepter le type *Texte*.

9. Tapez la touche TAB pour passer au champ suivant sans entrer de description. En effet, la description n'est pas nécessaire lorsque le nom du champ est suffisamment clair.

10. Continuez à saisir les noms des champs suivants :

Code postal	Texte	
Ville	Texte	
Téléphone	Texte	
Fax	Texte	
Contact	Texte	Nom de la personne à contacter

La Figure 2.6 montre le résultat que vous devez obtenir.

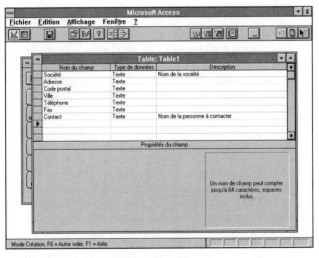

Figure 2.6 : La structure de la table.

Enregistrement de la table

Avant de pouvoir utiliser notre table, nous devons l'enregistrer. Pour cela, procédez de la façon suivante :

1. Déroulez le menu *Fichier*.

2. Sélectionnez l'option *Enregistrer*. Une boîte de dialogue est affichée.

3. Tapez le nom **Clients** et cliquez sur *OK*. Une boîte de message d'alerte est affichée. Access nous avertit que nous n'avons pas défini de *clé primaire* et nous demande si nous voulons en créer une.

Une clé primaire est un champ identifiant de façon non ambiguë chaque enregistrement (dans notre cas, chaque client). Il peut sembler que le nom de la société soit un bon candidat pour cela. Ce n'est malheureusement pas le cas, car rien n'empêche deux clients d'avoir le même nom. La solution consiste à attribuer à chaque client un numéro ou un code unique. Nous utiliserons un numéro, qui sera attribué automatiquement aux clients au fur et à mesure qu'ils seront entrés dans la table.

4. Cliquez sur *Oui*.

Access ajoute automatiquement un champ avant le nom de la société et lui donne le nom *N°* et le type *Compteur*. Les champs de ce type sont automatiquement incrémentés d'une unité pour chaque nouvel enregistrement. (Rappelons que le mot *enregistrement* désigne une fiche, par exemple, dans notre cas, un client.)

A gauche de la première colonne du champ *N°*, une icône en forme de clé indique qu'il s'agit de la *clé primaire* de la table.

5. Remplacez le nom du champ *N°* par *NumClient*, ce qui sera plus explicite lorsque nous aurons plusieurs tables avec des champs de type compteur.

6. Dans la zone *Description* du champ *NumClient*, tapez **Code client**.

Vous pouvez constater que la zone *Propriétés du champ* affiche la valeur *Oui - Sans doublons* pour la propriété *Indexé*.

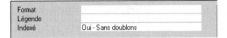

Lorsqu'un champ est indexé, Access est capable de retrouver les informations qu'il contient beaucoup plus vite. *Sans doublons* signifie qu'il est impossible que deux clients possèdent le même code. Un champ clé primaire est toujours indexé sans doublons.

Votre table étant maintenant enregistrée sous le nom *Clients*, ce nom est affiché dans sa barre de titre.

Saisie des données dans une table

Jusqu'ici, nous avons utilisé la table en mode *création*, comme cela est indiqué dans l'angle inférieur gauche de l'écran, dans la barre d'état :

Mode Création. F6 = Autre volet. F1 = Aide.

Si vous examinez la barre d'outils, juste au-dessous de la barre des menus, vous constaterez que le bouton situé à l'extrémité gauche est enfoncé. Ce bouton permet d'accéder au mode *création*.

Pour saisir des données, nous devons passer en mode *feuille de données*. Pour cela, il nous suffit de cliquer sur le bouton correspondant, situé immédiatement à droite du bouton *Création*.

Access vous propose alors d'enregistrer les dernières modifications. Cliquez sur *OK.*

La table est maintenant affichée en mode *feuille de données*, comme on peut le voir sur la Figure 2.7. Pour entrer les données, procédez de la façon suivante :

1. Le pointeur de texte se trouvant dans le premier champ (*NumClient*), tapez simplement la touche TAB pour passer au champ suivant.

2. Tapez le nom de la société, **Les Amis des Animaux**.

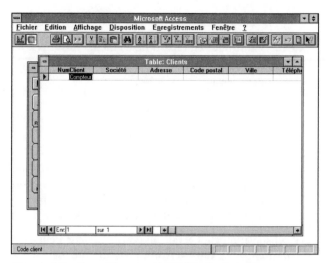

Figure 2.7 : La table en mode feuille de données.

3. Tapez la touche TAB pour passer au champ suivant. Notez que l'astérisque qui figurait à gauche du premier champ pour désigner le prochain enregistrement s'est déplacé d'une ligne vers le bas. Il a été remplacé par une icône représentant un crayon.

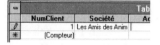

Cette icône indique que l'enregistrement est en cours de modification. Tant qu'elle est affichée, vous pouvez annuler les modifications en tapant la touche ECHAP.

4. Tapez l'adresse, **13, place Napoléon Bonaparte**.

5. Tapez la touche TAB.

6. Continuez en tapant les éléments suivants :

Code postal :	77300
Ville :	FONTAINEBLEAU
Téléphone :	45 56 67 78
Fax :	45 56 67 80
Contact :	Paul Masson

7. Après avoir saisi le dernier champ, tapez une fois de plus la touche TAB. Le pointeur de texte passe dans le premier champ de l'enregistrement suivant et l'icône représentant un crayon disparaît.

La disposition de l'écran ne vous convient peut-être pas parfaitement. Nous verrons dans un prochain chapitre comment il est possible de modifier l'ordre et la largeur des colonnes.

La saisie des données est une opération fastidieuse, mais il n'est malheureusement pas possible d'apprendre à utiliser une base de données sans un minimum de saisie. Les données à saisir se trouvent en fin de chapitre. Saisissez-en autant que vous le pouvez. Plus vos enregistrements seront nompbreux, et plus vos exemples seront réalistes. La Figure 2.8 montre le résultat que vous devez obtenir. Pour les exemples de la suite de ce livre, nous avons saisi 60 enregistrements. (Vous pouvez en saisir plus si le cœur vous en dit.) Selon le nombre d'enregistrements dans votre table, le résultats que vous obtiendrez seront peut-être légèrement différents.

Vous pouvez consulter les données facilement, en utilisant la barre de défilement horizontale pour afficher les données masquées des colonnes de droite ou la barre de défilement verticale pour visualiser les enregistrements suivants.

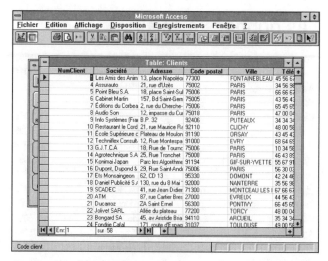

Figure 2.8 : Les données importées.

Fermez ensuite la table en cliquant deux fois dans la case de fermeture. Fermez la base de données et quittez Microsoft Access de la même façon.

Vous pouvez remarquer qu'il n'est pas nécessaire d'enregistrer la base de données avant de quitter le programme. Access enregistre les modifications apportées aux données en temps réel (ou du moins à chaque changement d'enregistrement courant). Cette particularité est indispensable pour que plusieurs utilisateurs puissent accéder simultanément à la même base de données.

Vous venez, en quelques dizaines de minutes, de créer une base de données contenant une table, et d'y saisir et d'y importer des données. Cette simple table est déjà plus efficace qu'un fichier sur papier. Nous verrons dans les chapitres suivants les différentes techniques utilisables pour manipuler ces données.

Les données à saisir

Editions Black Jack	47, rue du Bouloi	75001
Kao Tech	19, impasse Carrière-Mainguet	75011
Assurauto	21, rue d'Uzès	75002
Point Bleu S.A.	18, place Saint-Sulpice	75006
Cabinet Martin	157, Bd Saint-Germain	75005
Éditions du Corbeau	2, rue du Cherche-Midi	75006
Audio Son	12, impasse du Curé	75018
Info Systèmes (France) S.A.	B.P. 32	92406
Restaurant le Cordon Bleu	21, rue Maurice Ravel	92110
École Supérieure d'Arts Appliqués	Plateau de Moulon	91190
Techniflex Consultants	12, Rue Montespan	91000
G.J.T.C.A	18, Rue de Tournon	75006
Agrotechnique S.A.	25, Rue Tronchet	75008
Konimai Japan	Parc les Algorithmes	91194
Dupont, Dupond & Associés	29, Rue Saint-André-des-Arts	75006
Ets Monsaingeon	62, CD 13	95330
Daniel Publicité S.A.	130, rue du 8 Mai 1945	92000
SCADEC	41, rue Jean Didier	71300
ATM	87, rue Cartier Bresson	27000
Ducarroz	ZA Saint Ernel	56300
Jolivet SARL	Allée du plateau	77200
Bongard SA	45, av Aristide Briand	94110
Fondrie Cafal	171, route d'Espagne	31037
Sofimet	3 , rue Lionne	38000
QAMA	4, rue Baptiste Marcet	38600
Viland SA	10, rue Dieu	78534
GAO	48, rue de Montmartre	75002
Serma	21, rue Léonard de Vinci	69120
Scamp	484, rue Richelieu	73490
CMEG	Le plat bois	14440
De Sa Texeira	rue Saint Gabriel	14480
SCGC	34, Bd Picpus	75012

PARIS	45 56 34 56	45 56 36 76	Jean Holdeux
PARIS	68 45 47 90	68 45 50 32	Jérôme Bosh
PARIS	34 56 98 65	34 56 12 43	Louis Lhermite
PARIS	66 66 67 65	66 55 68 76	Martine Houdon
PARIS	43 56 43 43	43 56 67 54	Paul Pons
PARIS	65 45 65 45	65 45 65 46	Pierre Hochon
PARIS	47 00 04 05	47 00 04 06	Maurice Marcellin
PUTEAUX	34 34 34 54	34 34 34 43	Brigitte Leclerc
CLICHY	48 00 58 02	48 00 57 65	Alain Dercourt
ORSAY	43 45 43 45	43 45 67 89	Michel Fermier
EVRY	68 64 69 63	68 64 65 11	Mylène Bergère
PARIS	10 34 58 45	10 45 79 33	Guillaume Durand
PARIS	46 43 89 01	46 43 89 27	Monique Sempaix
GIF-SUR-YVETTE	55 67 91 12	55 67 92 21	François Martichoux
PARIS	56 30 03 65	56 30 00 01	Alfred Lepont
DOMONT	42 24 46 30	42 24 30 28	Léon Delisle
NANTERRE	35 56 98 65	35 56 12 43	Pierre Gérard
MONTCEAU LES MINES	67 66 67 65	67 55 68 76	Alice Bideau
EVREUX	44 56 43 43	44 56 67 54	Renée Blutte
PONTIVY	66 45 65 45	66 45 65 46	Corine Favre
TORCY	48 00 04 05	48 00 04 06	Martine Salinier
ARCUEIL	35 34 34 54	35 34 34 43	Jeau-Claude Ayrault
TOULOUSE	49 00 58 02	49 00 57 65	Fernand Aupée
GRENOBLE	44 45 43 45	44 45 67 89	Jacques Eutrope
FONTAINE	69 64 69 63	69 64 65 11	Raymond Mimouni
BUC	11 34 58 45	11 45 79 33	Antonio Lopes
PARIS	47 43 89 01	47 43 89 27	Jacques Flutteaux
VAULX EN VELIN	56 67 91 12	56 67 92 21	Fabienne Leclève
LA RAVOIRE	57 30 03 65	57 30 00 01	Robert Malon
DOUVRES	43 24 46 30	43 24 30 28	Claude Hinard
CREUILLY	36 56 98 65	36 56 12 43	Antoine Pangrani
PARIS	68 66 67 65	68 55 68 76	Emile Martinez

CHAPITRE 3

Modification des données d'une table

Au chapitre précédent, nous avons créé une base de données contenant une table. Nous allons maintenant apprendre à modifier les données qu'elle contient.

Commencez par charger Access en localisant son icône dans le gestionnaire de programmes et en cliquant deux fois dessus.

Ouverture d'une base de données

Il existe plusieurs façons d'ouvrir une base de données. La plus courante consiste à utiliser l'option *Ouvrir une base de données* du menu *Fichier*. Procédez de la façon suivante :

1. Déroulez le menu *Fichier* et sélectionnez l'option *Ouvrir une base de données*. La boîte de dialogue de la Figure 3.1 est affichée.

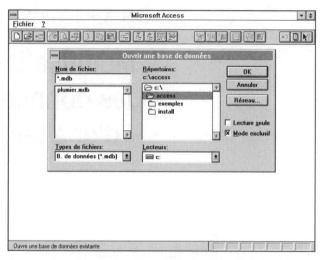

Figure 3.1 : Ouverture d'une base de données.

2. Normalement, la zone *Répertoires* doit indiquer *c:\access*. Si ce n'est pas le cas, ouvrez ce répertoire.

3. Cliquez deux fois sur le nom du fichier *Plumier.mdb*.

Access ouvre la fenêtre principale de la base de données.

Ouvrir une base de données récemment utilisée

Access vous permet d'ouvrir très facilement une des quatre dernières bases de données utilisées. Pour expérimenter cette fonction, fermez tout d'abord la base de données *Plumier* en cliquant deux fois dans la case du menu Système (celle de la fenêtre de la base de données, et non celle de la fenêtre de l'application) ou en utilisant la commande *Fichier > Fermer la base de données.*

Procédez ensuite de la façon suivante :

1. Déroulez le menu *Fichier.* La Figure 3.2 montre ce menu. Vous pouvez constater qu'il comporte, juste avant l'option *Quitter*, de un à quatre noms de bases de données. Il s'agit des dernières bases de données ouvertes. (Dans votre cas, les noms peuvent être différents si vous avez ouvert d'autres bases de données.) Le premier nom est celui de la dernière base ouverte, *Plumier.mdb.*

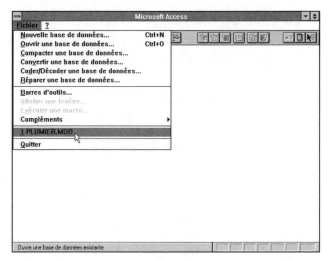

Figure 3.2 : Ouverture rapide d'une des dernières bases de données utilisées.

2. Pour ouvrir la base *Plumier*, cliquez sur son nom. La base est ouverte sans que vous ayez besoin

d'indiquer dans quel répertoire elle se trouve. Les options par défaut sont appliquées.

L'écran principal de Microsoft Access

L'écran principal d'Access, représenté sur la Figure **Erreur! Source du renvoi introuvable.**, comporte les éléments communs à toutes les applications Windows, plus certains éléments spécifiques.

La case du menu Système

Dans l'angle supérieur gauche de l'écran se trouve la case du menu Système. Elle permet d'accéder aux commandes de manipulation de la fenêtre d'Access. Ces commandes sont communes à toutes les applications fonctionnant sous Windows.

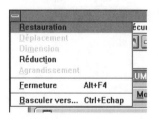

La barre de titre

La barre de titre se trouve en haut de la fenêtre. Elle porte le nom de l'application (*Microsoft Access*), et éventuellement celui de la base de données ouverte, si celle-ci a été agrandie (en utilisant la case Agrandissement, comme indiqué dans les sections suivantes).

En cliquant deux fois dans la barre de titre, on peut passer de l'affichage plein écran à l'affichage dans une fenêtre, et inversement. Les barres de titres permettent également de déplacer les fenêtres en les faisant glisser.

La case Réduction

A droite de la barre de titre se trouve la case Réduction, comportant un triangle pointant vers le bas.

Elle permet de réduire en icône la fenêtre de l'application. Pour restaurer une icône, c'est-à-dire ouvrir l'élément correspondant, il suffit de cliquer deux fois dessus.

Les cases Restauration et Agrandissement

La case Restauration comporte deux triangles pointant vers le haut et vers le bas.

Elle permet de passer de l'affichage plein écran à l'affichage dans une fenêtre. Elle est alors remplacée par la case Agrandissement, comportant un triangle pointant vers le haut.

La case Agrandissement permet de revenir à l'affichage plein écran.

Il est également possible de passer d'un mode à l'autre en cliquant deux fois sur la barre de titre de la fenêtre.

La barre de menus

Juste au-dessous de la barre de titre se trouve la barre de menus.

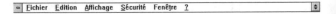

Celle-ci affiche les noms des menus comportant les commandes d'Access. Lorsque aucune base de données n'est ouverte, la barre de menus contient seulement le menu *Fichier* et le menu d'aide (représenté par un point d'interrogation). D'autres menus sont ajoutés en fonction des éléments ouverts.

La barre d'outils

La barre d'outils se trouve immédiatement au-dessous de la barre de menus.

Si aucune base de données n'est ouverte, la barre ne comporte qu'un seul bouton donnant accès au système d'aide en ligne. D'autres boutons sont ajoutés en fonction des éléments ouverts et des commandes disponibles.

L'affichage de la barre d'outils peut être désactivé à l'aide de la commande *Options* du menu *Affichage*, comme nous l'avons vu précédemment, afin d'augmenter la place disponible sur l'écran.

Les outils de la barre d'outils sont des raccourcis permettant un accès instantané à certaines commandes. Pour chaque bouton, il existe toujours une façon plus longue d'exécuter la même commande. Ainsi, le bouton d'ouverture :

est l'équivalent de la commande *Ouvrir* du menu *Fichier.*

Le bouton comportant une paire de ciseaux :

est l'équivalent de la commande *Couper* du menu *Edition.*

Lorsque vous laissez le pointeur pendant plus d'une seconde sur un bouton, Access affiche une *Info-bulle* indiquant la fonction de celui-ci :

La barre d'état

Située au bas de l'écran, la barre d'état contient, dans sa partie gauche, de brefs messages d'explication à propos des commandes en cours. La partie droite affiche divers indicateurs concernant l'état du clavier.

Créer une nouvelle base de données   MAJ NUM DEF

Les feuilles de données

Les feuilles de données sont la représentation la plus simple des tables de Microsoft Access. Les tables peuvent être affichées en deux modes : le mode *création* et le mode *feuille de données*. Nous allons tout d'abord examiner le mode *feuille de données*.

Ouverture d'une table

Ouvrez la table *Clients* en mode *feuille de données*. Pour cela, procédez de la façon suivante :

1. La fenêtre de la base de données *Plumier.mdb* étant affichée, vérifiez que le bouton *Table* est bien enfoncé. Si ce n'est pas le cas, cliquez sur ce bouton. La zone *Tables* affiche alors la liste des

tables disponibles dans la base. Pour l'instant, il n'en existe qu'une.

2. Cliquez deux fois sur le nom de la table à ouvrir, *Clients*. Vous pouvez également cliquer une fois sur le nom de la table pour la sélectionner, puis sur le bouton *Ouvrir*. La table est affichée en mode *feuille de données*, comme le montre la Figure 3.3.

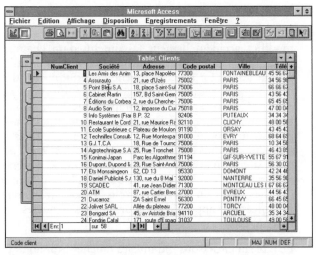

Figure 3.3 : La table Clients *affichée en mode* feuille de données.

Vous pouvez remarquer que l'aspect d'une feuille de données ressemble beaucoup à celui d'une feuille de calcul de tableur.

L'enregistrement courant

A tout instant, il existe un enregistrement courant. Il s'agit de l'enregistrement sur lequel porteront les commandes que vous exécuterez. Il est indiqué par un triangle noir pointant vers la droite.

Pour changer d'enregistrement courant, vous pouvez (par exemple) taper la touche BAS. Faites-le et observez le triangle noir qui se déplace chaque fois d'une ligne vers le bas.

Attention : si vous faites une fausse manœuvre et si vous modifiez accidentellement le contenu d'un champ, ne tapez rien d'autre que la touche ECHAP pour annuler la modification. En effet, la touche ENTREE ou un déplacement quelconque enregistrent la modification *sur le disque*. Contrairement à la plupart des autres applications, Access enregistre sur disque les modifications apportées aux données en *temps réel*, c'est-à-dire, en fait, au moment où vous quittez le champ modifié. Voilà pourquoi, si vous n'avez modifié que les données, il n'est pas nécessaire d'enregistrer votre travail en quittant l'application. (En revanche, vous devez enregistrer les modifications apportées aux formulaires, requêtes, états, macros, etc.)

Le tableau ci-dessous indique les touches utilisables pour changer d'enregistrement :

Touche	*Déplacement*
BAS	Un enregistrement vers le bas.
HAUT	Un enregistrement vers le haut.
PG.SUIV	Vers le bas, de la hauteur de la fenêtre.
PG.PREC	Vers le haut, de la hauteur de la fe-

Touche	Déplacement
	nêtre.
CTRL+FIN	Dernier enregistrement (et dernier champ).
CTRL+ORIGINE	Premier enregistrement (et premier champ).

Certaines de ces touches ont une autre fonction si un champ entier n'est pas sélectionné, c'est-à-dire lorsque Access se trouve en mode modification de champ. (Le *point d'insertion* est alors affiché dans le texte contenu dans le champ.) Dans ce cas, tapez une commande de changement de champ quelconque (TAB, par exemple) pour sélectionner un champ avant de changer d'enregistrement.

Utilisation du sélecteur d'enregistrement

Pour changer d'enregistrement courant à l'aide de la souris, vous pouvez utiliser le sélecteur d'enregistrement, situé dans l'angle inférieur gauche de la fenêtre.

Le bouton de gauche permet de sélectionner le premier enregistrement. Le deuxième bouton à partir de la gauche sert à sélectionner l'enregistrement précédant l'enregistrement courant.

Le bouton de droite permet de sélectionner le dernier enregistrement. Le deuxième bouton à partir de la droite sert à sélectionner l'enregistrement suivant l'enregistrement courant. Entre les deux groupes de boutons, deux zones de texte indiquent le numéro de l'enregistrement courant et le nombre total d'enregistrements.

Vous pouvez également taper le numéro du champ désiré dans la zone indiquant le numéro de champ courant, entre les deux groupes de boutons du sélecteur. Pour sÈlectionner le numÈro de champ, cliquez deux fois sur celui-ci ou tapez la touche F5.

Le champ courant

Pendant les déplacements de l'enregistrement courant, vous pouvez constater que le contenu de la première colonne est affiché en inverse (sur fond noir). On dit qu'il est *sélectionné*. Access indique ainsi le *champ courant*. Vous pouvez changer de champ courant en utilisant les touches suivantes :

Touches	*Fonction*
GAUCHE ou TAB	Un champ vers la gauche.
DROITE ou†MAJ+TAB	Un champ vers la droite.
CTRL+PG.SUIV	Vers la droite, de la largeur de la fenêtre.
CTRL+PG.PREC	Vers la gauche, de la largeur de la fenêtre.
FIN	Dernier champ.
ORIGINE	Premier champ.
CTRL+FIN	Dernier champ du dernier enregistrement.
CTRL+ORIGINE	Premier champ du premier enregistrement.

Touches	Fonction
F6	Affiche le champ courant (lorsque, après un défilement, il n'est plus visible).

Les touches GAUCHE et DROITE ont une autre fonction si Access se trouve en mode modification de données (déplacement d'un caractère vers la gauche ou vers la droite). Dans ce cas, si vous voulez changer de champ, utilisez les touches TAB et MAJ+TAB.

Vous pouvez également changer d'enregistrement courant à l'aide de l'option *Atteindre* du menu *Enregistrements*. Ce menu affiche un sous-menu. Les options *Premier, Dernier, Suivant* et *Précédent* font exactement ce que leurs noms suggèrent. L'option *Nouveau* permet de créer un nouvel enregistrement ; elle sera étudiée plus en détail dans la section suivante.

Ajout d'un enregistrement

L'ajout d'un enregistrement se fait très simplement en sélectionnant la ligne suivant le dernier enregistrement de la table. Comme on peut le voir dans l'illustration suivante, cette ligne est signalée par un astérisque. Par ailleurs, le premier champ contenant un compteur incrémenté automatiquement, celui-ci est signalé par le mot (Compteur).

Pour ajouter un enregistrement à notre table, vous pouvez :

- Sélectionner l'option *Nouveau* du sous-menu de l'option *Atteindre* du menu *Enregistrements*. Cette option sélectionne le premier champ du nouvel enregistrement. Vous pouvez alors y entrer des données (sauf s'il s'agit d'un compteur incrémenté automatiquement). Pour valider les données d'un champ, il suffit de taper l'une des touches ENTRÉE ou TAB. Dès que des données sont tapées, le nouveau champ est en mode modification, indiqué par une icône en forme de crayon. Dans l'illustration ci-dessous, nous sommes en train d'ajouter un enregistrement après l'enregistrement 60.

	59	Fanton rénovation	53 rue du Fossé Bl	94100	SAINT-MAUR	72 64 69
	60	Manulion	34, rue Edouard Va	69003	LYON	14 34 58
	61	Ets				
*	(Compteur)					

- Pour saisir un nouvel enregistrement, vous pouvez également sélectionner le dernier enregistrement, puis le suivant, par la méthode de votre choix.

- Vous pouvez aussi cliquer simplement dans la ligne indiquée par un astérisque, après le dernier enregistrement, et commencer à saisir des données.

- Vous pouvez encore cliquer sur le bouton *Nouveau*, dans la barre d'outils :

- Si vous voulez saisir de nouveaux enregistrements sur un écran vierge, vous pouvez sélectionner l'option *Ajout* du menu *Enregistrements*. Cette option masque tous les enregistrements existants. Le premier enregistrement saisi porte alors temporairement le numéro 1. Lorsque vous avez terminé la saisie, vous pouvez afficher de nouveau tous les enregistrements en sélectionnant l'option *Afficher tous les enregistrements* du menu *Enregistrements*.

Les commandes d'édition à l'intérieur des champs

Lors de la saisie ou de la modification des données, vous pouvez employer un certain nombre de commandes d'édition. Pour vous familiariser avec la saisie des données, effectuez les manipulations suivantes :

1. Cliquez dans le champ *Adresse* de l'enregistrement n° 1, juste à la fin du mot *place*. Un pointeur de texte est affiché, sous la forme d'une barre verticale. Vous êtes maintenant en mode modification de données.

Société	Adresse	Code postal
Les Amis des Anim	13, place Napoléoı	77300

2. Effacez le mot *place* en tapant cinq fois la touche ARRIÈRE. Notez qu'à la première modification une icône représentant un crayon est affichée à gauche de l'enregistrement. Cette icône indique que l'enregistrement est en cours de modification.

NumClient	Société	Adresse	Code postal
1	Les Amis des Anim	13, Napoléon Bon	77300

3. Tapez le mot **rue**.

4. Le pointeur se trouve à la fin du mot tapé. Pressez le bouton de la souris et maintenez-le enfoncé.

5. Faites glisser le pointeur jusqu'au début du mot et relâchez le bouton de la souris. Le mot entier doit être sélectionné, comme indiqué ci-dessous.

NumClient	Société	Adresse	Code postal
1	Les Amis des Anim	13, rue Napoléon E	77300

6. Déroulez le menu *Edition* et cliquez sur *Couper*. Le mot sélectionné est supprimé et placé dans le presse-papiers. (Vous pouvez également cliquer sur le bouton comportant une paire de ciseaux.)

7. Tapez **boulevard**.

8. Cliquez deux fois sur le mot *boulevard*. Le mot entier est sélectionné.

9. Déroulez le menu *Edition* et cliquez sur *Coller*. Le mot *rue*, qui se trouvait dans le presse-papiers, remplace le mot sélectionné. (Vous pouvez également cliquer sur le bouton *Coller*, le huitième à partir de la gauche.)

10. Cliquez à la fin du mot *rue* (juste après le *e*).

11. Maintenez la touche MAJ enfoncée et cliquez au début du mot *rue*, puis relâchez la touche. Le mot *rue* est maintenant sélectionné.

12. Tapez **place**. Le mot tapé remplace le mot sélectionné.

13. Tapez la touche ECHAP pour annuler les modifications ou F9 pour les enregistrer.

Si vous sélectionnez un autre enregistrement par une méthode quelconque, les modifications sont automatiquement enregistrées.

La fonction zoom

Durant ces manipulations, vous avez pu constater que le texte est plus large que la colonne et que, de ce fait, les manipulations de texte sont malaisées. La fonction zoom permet de résoudre ce problème. Pour l'utiliser, procédez de la façon suivante :

1. Placez le pointeur dans la zone de texte à modifier, par la méthode de votre choix. Il peut s'agir d'un champ comme de toute autre zone de texte.

2. Tapez les touches MAJ+F2. La fenêtre de zoom est affichée, comme indiqué sur la Figure 3.4.

Pour apporter des modifications au texte, procédez exactement comme dans l'exemple précédent.

Dans une boîte de dialogue de zoom, le menu *Edition* n'est plus accessible. Cependant, les commandes d'édition peuvent toujours être utilisées grâce à leurs équivalents clavier, par exemple CTRL+X pour *Edition > Couper* ou CTRL+V pour *Edition > Coller*.

Une fois les modifications terminées, cliquez sur *OK* ou tapez la touche ENTRÉE pour refermer la boîte de dialogue de zoom. Si vous ne souhaitez pas conserver les modifications, cliquez sur *Annuler* ou tapez la touche ECHAP.

Le tableau ci-dessous donne la liste des touches utilisables pour l'édition du contenu des champs.

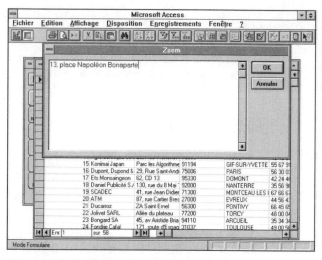

Figure 3.4 : La fenêtre de zoom.

Touches	Fonction
MAJ+F2	Affiche la boîte de dialogue de zoom.
F2	Lorsque la totalité du texte est sélectionnée, passe en mode modification en plaçant le pointeur de texte à la fin du texte. Lorsque le pointeur de texte est affiché dans le champ, sélectionne la totalité du champ.
ORIGINE	Place le pointeur au début de la ligne.
FIN	Place le pointeur à la fin de la ligne.
CTRL+ORIGINE	Place le pointeur au début du

Touches	*Fonction*
	champ (premier caractère de la première ligne).
CTRL+FIN	Place le pointeur à la fin du champ (dernier caractère de la dernière ligne).
DROITE	Déplace le pointeur d'un caractère vers la droite. Si le pointeur se trouve à la fin du champ, sélectionne le champ suivant en validant les modifications (sauf en mode zoom).
GAUCHE	Déplace le pointeur d'un caractère vers la gauche. Si le pointeur se trouve au début du champ, sélectionne le champ suivant en validant les modifications (sauf en mode zoom).
CTRL+DROITE	Déplace le pointeur d'un mot vers la droite. Si le pointeur se trouve à la fin du champ, sélectionne le champ suivant en validant les modifications (sauf en mode zoom).
CTRL+GAUCHE	Déplace le pointeur d'un mot vers la gauche. Si le pointeur se trouve au début du champ, sélectionne le champ suivant en validant les modifications (sauf en mode zoom).
SUPPR	Efface un caractère vers la droite.
ARRIÈRE	Efface un caractère vers la gauche.
CTRL+ARRIÈRE	Efface un mot vers la gauche.

Touches	*Fonction*
CTRL+SUPPR	Efface du pointeur à la fin de la ligne.
MAJ	Ajouté à une touche de déplacement, sélectionne le texte sur lequel passe le pointeur.
CTRL+ENTRÉE	Ajoute une ligne de texte.
BAS	Déplace le pointeur d'une ligne vers le bas. Si le pointeur se trouve sur la dernière ligne du champ, sélectionne le même champ de l'enregistrement suivant en validant les modifications (sauf en mode zoom).
HAUT	Déplace le pointeur d'une ligne vers le haut. Si le pointeur se trouve sur la première ligne du champ, sélectionne le même champ de l'enregistrement précédent en validant les modifications (sauf en mode zoom).
PG.SUIV	En mode zoom, place le pointeur sur la dernière ligne du champ. En mode normal, déplace le pointeur d'une ligne vers le bas. Si le pointeur se trouve sur la dernière ligne du champ, sélectionne le même champ de l'enregistrement suivant en validant les modifications.
PG.PREC	En mode zoom, place le pointeur sur la première ligne du champ. En mode normal, déplace le pointeur d'une ligne vers le haut. Si le pointeur se trouve sur la première

Touches	*Fonction*
	ligne du champ, sélectionne le même champ de l'enregistrement précédent en validant les modifications.
ENTREE	Valide les modifications et sélectionne le champ suivant (sauf en mode zoom).
ECHAP	Annule toutes les modifications et referme la boîte de zoom.
CTRL+Z	Annule la dernière modification.
CTRL+X	Efface le texte sélectionné et le place dans le presse-papiers. Le contenu précédent du presse-papiers est perdu.
CTRL+C	Place une copie du texte sélectionné dans le presse-papiers. Le texte sélectionné n'est pas modifié. Le contenu précédent du presse-papiers est perdu.
CTRL+V	Place le contenu du presse-papiers à l'emplacement du pointeur de texte. Si un texte était sélectionné avant l'opération, il est remplacé. Le contenu du presse-papiers n'est pas modifié.
INS	Passe du mode *Frappe* au mode *Insertion*.
F8	Passe en mode *Extension*.
MAJ+F8	Inverse la sélection.
CTRL+F8	Sélectionne un mot, puis le champ, puis l'enregistrement sans activer le mode *Extension*.

Touches	*Fonction*
Clic	Place le pointeur de texte à l'emplacement du clic.
Cliquer deux fois	Sélectionne un mot.
Déplacement du pointeur en maintenant le bouton de la souris enfoncé	Sélectionne le texte recouvert.

Recherche d'un enregistrement à partir de son contenu

Il est également possible de rechercher un enregistrement en fonction de son contenu. Ainsi, si vous voulez trouver l'enregistrement du client SCADEC, dont vous ne connaissez pas le numéro, vous pouvez le faire en procédant de la façon suivante :

1. Faites du champ *Société* le champ courant, par la méthode de votre choix (par exemple en y cliquant).

2. Déroulez le menu *Edition* et sélectionnez la commande *Rechercher*. La boîte de dialogue de la Figure 3.5 est affichée.

3. Dans la zone *Rechercher*, tapez le nom du client à rechercher, **SCADEC**. La zone *Où* permet de spécifier où le texte doit être cherché :

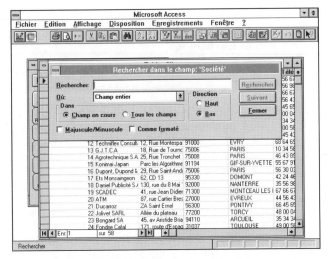

Figure 3.5 : La boîte de dialogue de recherche.

Champ entier	Le champ doit contenir le texte cherché et rien d'autre.
N'importe où dans le champ	Le champ doit contenir le texte cherché, éventuellement parmi d'autres mots.
Début de champ	Le champ doit commencer par le texte cherché.

Si nous avons trois enregistrements avec les noms de clients SCADEC, Société SCADEC et SCADEC S.A., l'option *Champs entier* trouve le premier client, l'option *Début de champ* trouve le premier et le troisième, et l'option *N'importe où dans le champ* trouve les trois.

- L'option *Dans* sert à indiquer si la recherche doit être effectuée dans le champ en cours ou dans tous les champs.

- La zone *Direction* permet d'indiquer si la recherche doit se faire vers le haut ou vers le bas.

- L'option *Majuscule/Minuscule* détermine si Access doit différencier les majuscules et les minuscules. Si cette option n'est pas cochée, Access trouvera indifféremment SCADEC, Scadec et scaDEC. Dans le cas contraire, seul le premier nom sera trouvé.

- L'option *Comme formaté* sert à indiquer si la recherche doit tenir compte du format. Ainsi, si cette option n'est pas activée et que vous recherchez 17,00, la valeur 17 sera trouvée. Dans le cas contraire, elle ne le sera pas.

4. Cliquez sur *Rechercher*.

Si un champ correspondant est trouvé, il devient le champ courant. Dans le cas contraire, Access affiche un message pour indiquer que la recherche n'a pas abouti.

Chaque recherche commence à l'enregistrement sélectionné. Lorsque Access atteint la fin de la feuille de données, un message vous propose de continuer au début de celle-ci, afin de parcourir la totalité de la feuille. (Dans le cas d'une recherche vers le haut, le texte est d'abord cherché dans les enregistrements situés entre l'enregistrement courant est le début de la feuille puis, après confirmation, entre la fin de la feuille et l'enregistrement courant.)

Lorsqu'un enregistrement est trouvé, vous pouvez chercher le suivant en cliquant sur *Suivant* ou en tapant

ALT+S. Lorsque la recherche est terminée, cliquez sur *Fermer* ou tapez ALT+F.

Remplacement automatique de texte dans les enregistrements

La commande *Remplacer* du menu *Edition* permet de remplacer toutes les occurrences d'un texte par un autre, automatiquement ou avec confirmation. Elle affiche une boîte de dialogue permettant de définir les conditions du remplacement.

- Le texte à rechercher doit être tapé dans la zone *Rechercher*.

- Le texte de remplacement doit être placé dans la zone *Remplacer par*.

- Comme dans l'exemple précédent, le remplacement peut porter sur le *Champ en cours* ou sur *Tous les champs*.

- L'option *Majuscule/Minuscule* permet de faire ou non la distinction.

- L'option *Champ entier* permet de ne trouver que les champs contenant *uniquement* le texte cherché.

- Le bouton *Suivant* trouve l'occurrence suivante. Le texte trouvé est sélectionné. Si vous ne le voyez pas, déplacez la boîte de dialogue. Si vous cliquez de nouveau sur ce bouton, Access recherche l'occurrence suivante sans remplacer l'occurrence trouvée.

- Le bouton *Remplacer* remplace l'occurrence trouvée et cherche la suivante.

- Le bouton *Remplacer tout* remplace automatiquement toutes les occurrences.

Lorsque la fin de la table est atteinte, Access affiche un message vous demandant si vous souhaitez continuer la recherche à partir du début. En effet, le remplacement commence à la position du pointeur, comme dans le cas de la recherche simple.

Manipulations d'enregistrements

Pour pouvoir manipuler un ou plusieurs enregistrements, vous devez tout d'abord les sélectionner. Pour cela, vous pouvez employer plusieurs méthodes, selon que vous préférez utiliser la souris ou le clavier.

Sélection d'un enregistrement

Pour sélectionner un enregistrement à l'aide de la souris, procédez de la façon suivante :

1. Faites défiler l'affichage afin que l'enregistrement à sélectionner soit visible.

2. Placez le pointeur à gauche de l'enregistrement choisi. Il doit prendre la forme d'une flèche noire dirigée vers la droite.

NumClient	Société	Adresse	Code postal	Ville	Télé ◆
1	Les Amis des Anim	13, place Napoléor	77300	FONTAINEBLEAU	45 56 67
2	Editions Black Jacl	Bâtiment Homère	75001	PARIS	45 56 34
3	Kao Tech	19, impasse Carrièr	75011	PARIS	68 45 47
4	Assurauto	21, rue d'Uzès	75002	PARIS	34 56 98
5	Point Bleu S.A.	18, place Saint-Sul	75006	PARIS	66 66 67
6	Cabinet Martin	157, Bd Saint-Gern	75005	PARIS	43 56 43

Si le pointeur prend la forme d'une double flèche, comme indiqué dans l'exemple suivant, il est placé trop près de la ligne séparant deux enregistrements.

	NumClient	Société	Adresse	Code postal	Ville	Télé
	1	Les Amis des Anim	13, place Napoléo	77300	FONTAINEBLEAU	45 56 67
	2	Editions Black Jacl	Bâtiment Homère	75001	PARIS	45 56 34
	3	Kao Tech	19, impasse Carrièr	75011	PARIS	68 45 47
	4	Assurauto	21, rue d'Uzès	75002	PARIS	34 56 98
◆	5	Point Bleu S.A.	18, place Saint-Sul	75006	PARIS	66 66 67
	6	Cabinet Martin	157, Bd Saint-Germ	75005	PARIS	43 56 43

3. Cliquez. L'enregistrement entier est affiché en blanc sur fond noir.

Vous pouvez également utiliser l'option *Sélectionner l'enregistrement* du menu *Edition* pour sélectionner l'enregistrement courant.

Si vous préférez utiliser le clavier, procédez de la façon suivante :

1. Faites de l'enregistrement choisi l'enregistrement courant, par la méthode de votre choix. L'enregistrement courant est désigné par un triangle noir pointant vers la droite.

2. Tapez MAJ+ESPACE. L'enregistrement est sélectionné. Vous pouvez également utiliser l'option *Sélectionner l'enregistrement* du menu *Edition* (ALT+E puis E).

Une fois qu'un enregistrement est sélectionné, les touches BAS et HAUT déplacent la sélection vers le bas ou vers le haut.

Désélectionner un enregistrement

Pour désélectionner un enregistrement, cliquez dans un champ quelconque d'un enregistrement quelconque ou tapez une touche de changement de champ ou de changement d'enregistrement autre que BAS ou HAUT.

Sélection de plusieurs enregistrements

Pour sélectionner plusieurs enregistrements à l'aide de la souris, procédez de la façon suivante :

1. Faites défiler l'affichage afin que le premier enregistrement à sélectionner soit visible.

2. Placez le pointeur à gauche de l'enregistrement choisi. Il doit prendre la forme d'une flèche noire dirigée vers la droite.

NumClient	Société	Adresse	Code postal	Ville	Télé
1	Les Amis des Anim	13, place Napoléo	77300	FONTAINEBLEAU	45 56 6
2	Editions Black Jacl	Bâtiment Homère	75001	PARIS	45 56 34
3	Kao Tech	19, impasse Carrièr	75011	PARIS	68 45 47
4	Assurauto	21, rue d'Uzès	75002	PARIS	34 56 98
5	Point Bleu S.A.	18, place Saint-Sul	75006	PARIS	66 66 6
6	Cabinet Martin	157, Bd Saint-Gern	75005	PARIS	43 56 4

Si le pointeur prend la forme d'une double flèche, comme indiqué dans l'exemple suivant, il est placé trop près de la ligne séparant deux enregistrements.

NumClient	Société	Adresse	Code postal	Ville	Télé
1	Les Amis des Anim	13, place Napoléo	77300	FONTAINEBLEAU	45 56 6
2	Editions Black Jacl	Bâtiment Homère	75001	PARIS	45 56 34
3	Kao Tech	19, impasse Carrièr	75011	PARIS	68 45 47
4	Assurauto	21, rue d'Uzès	75002	PARIS	34 56 98
5	Point Bleu S.A.	18, place Saint-Sul	75006	PARIS	66 66 6
6	Cabinet Martin	157, Bd Saint-Gern	75005	PARIS	43 56 4

3. Cliquez et maintenez le bouton de la souris enfoncé. L'enregistrement entier est affiché en blanc sur fond noir.

4. Faites glisser le pointeur jusqu'au dernier enregistrement à sélectionner et relâchez le pointeur.

Il n'est pas possible de sélectionner des enregistrements non contigus.

Sélection de tous les enregistrements

Pour sélectionner tous les enregistrements, cliquez dans le rectangle de sélection situé à gauche des en-têtes de colonnes†:

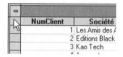

Pour sélectionner tous les enregistrements à l'aide du clavier, tapez CTRL+MAJ+ESPACE.

Vous pouvez également employer la commande *Sélectionner tous les enregistrements* du menu *Edition*, à l'aide de la souris ou du clavier.

Suppression d'enregistrements

Un enregistrement peut être supprimé très facilement lorsqu'il est sélectionné. Il suffit pour cela de taper la touche SUPPR ou d'utiliser l'option *Supprimer* du menu *Edition*. Access affiche alors une boîte de dialogue pour vous demander de confirmer la suppression.

Si vous employez l'option *Couper* au lieu de *Supprimer* (ou son équivalent clavier CTRL+X), l'enregistrement supprimé est placé dans le presse-papiers. Vous pourrez ensuite le réinsérer, mais il n'aura pas le même numéro.

Les numéros d'enregistrements fournis par le compteur automatique du champ clé ne sont pas réutilisés après qu'ils ont été libérés par la suppression d'un enregistrement.

Insertion d'enregistrements

Si un ou plusieurs enregistrements ont été placés dans le presse-papiers (au moyen des commandes *Copier* ou *Couper*), vous pouvez les insérer dans la table. Le résultat est différent selon l'enregistrement courant.

Si l'enregistrement courant est un enregistrement quelconque existant, la commande *Edition* > *Coller* remplace les données de l'enregistrement courant par celles du premier enregistrement se trouvant dans le presse-papiers, à l'exception du champ clé primaire. L'enregistrement courant se trouve alors en mode modification. Vous pouvez valider l'insertion en passant à un autre champ ou en tapant la touche F9, ou l'annuler en tapant la touche ECHAP.

Si l'enregistrement vide suivant le dernier enregistrement qui contient des données est sélectionné, la commande *Edition* > *Coller* ajoute tous les enregistrements se trouvant dans le presse-papiers à la fin de la table. Access affiche un message pour confirmer l'insertion.

Dans tous les cas, vous pouvez insérer le contenu du presse-papiers à la fin de la table, et ce quel que soit l'enregistrement courant, en utilisant la commande *Coller par ajout* du menu *Edition*.

La sauvegarde des données

Nous avons vu qu'un certain nombre de modifications peuvent avoir un caractère irréversible. Par ailleurs, une panne de disque dur ou une coupure de courant peuvent avoir un effet désastreux sur les données. Access possède bien une commande *Réparer une base de données* (dans le menu *Fichier* lorsque aucune base de données n'est ouverte), mais ce n'est qu'une solution extrême, qui ne donne pas forcément un résultat parfait (parfois même, pas de résultat du tout). C'est pourquoi il est **IMPERATIF** d'effectuer régulièrement une copie de sauvegarde de votre base de données. En effet, contrairement à un traitement de texte ou un tableur, avec une base de données, vous travaillerez pendant un temps très long sur les mêmes données. Un accident pourrait vous faire perdre des mois, voire des années de travail. Des sauvegardes régulières permettent d'éviter ce genre de problème.

CHAPITRE 4

Mise en forme
et affichage
d'une table

Au chapitre précédent, nous avons étudié toutes les commandes permettant de se déplacer dans une table, de sélectionner un enregistrement ou un champ et de saisir ou de modifier des données. Dans ce chapitre, nous apprendrons à mettre en forme les données et à organiser l'affichage de la table.

Modification de la structure
d'une table

La structure d'une table est définie après mûre réflexion, en fonction des impératifs de son utilisation. Il est cependant fréquent, au début, d'avoir à la modifier en fonction de contraintes non prévues. Nous allons maintenant apporter des modifications à la table *Clients* de la base de données *Plumier*.

Certaines modifications de structure entraînent des pertes de données. Par exemple, la suppression d'un champ entraînera la perte des données qu'il contient. Faites donc **IMPÉRATIVEMENT** une copie de sauvegarde de votre base de données avant toute modification de sa structure.

Affichage en mode *création*

La modification de la structure d'une table n'est possible qu'en l'affichant en mode *création*. Vous pouvez passer du mode *feuille de données* au mode *création*, ou ouvrir directement la table dans ce mode.

Ouverture d'une table en mode *création*

Pour ouvrir une table, vous devez afficher la liste des tables dans la fenêtre de la base de données et sélectionner son nom. Si vous avez oublié la façon de procéder, reportez-vous au chapitre précédent.

Une fois le nom de la table choisie sélectionné, cliquez sur le bouton *Modifier*. La table est ouverte en mode *création*, comme indiqué sur la Figure 4.1.

Note : Si vous cliquez deux fois sur le nom de la table, elle est automatiquement ouverte en mode *feuille de données*.

Passage du mode *feuille de données* au mode *création*

Si la table est déjà ouverte en mode *feuille de données*, vous pouvez passer directement en mode *création* en cliquant sur l'outil correspondant dans la barre d'outils.

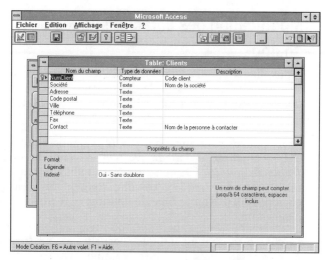

Figure 4.1 : La table ouverte en mode création.

De la même façon, vous pouvez revenir au mode *feuille de données* en cliquant sur le second bouton de la barre d'outils.

Vous pouvez également employer les commandes *Création* et *Feuille de données* du menu *Affichage*.

Modification des caractéristiques des champs

Nous allons commencer par modifier la longueur des champs. En effet, lors de la création de notre base de données, nous avons conservé la longueur par défaut de 50 caractères pour tous les champs.

Vous pouvez constater qu'il y a une grande similitude entre l'affichage du mode *création* et celui du mode *feuille de données*. Chaque ligne correspond cette fois à un champ. La première colonne contient le nom du champ, la deuxième le type de données et la troisième la description.

Le champ courant est indiqué, à gauche, par un triangle noir pointant vers la droite, comme l'enregistrement courant dans le mode *feuille de données*. Les déplacements et la sélection de champs se font exactement de la même façon.

Placez le pointeur dans la première colonne du champ *Société*. La partie inférieure de la fenêtre affiche les caractéristiques du champ. Pour les modifier, cliquez dans la zone concernée ou tapez la touche F6.

Apportez les modifications suivantes au champ *Société* :

1. Donnez-lui une longueur de 60 caractères. (La longueur des champs texte est limitée à 255 caractères.)

2. Passez à la zone *Indexé*, en y cliquant à l'aide de la souris ou en utilisant les touches BAS, TAB ou ENTRÉE. Une fois cette zone sélectionnée, un bouton est affiché à sa droite.

3. Cliquez sur ce bouton ou tapez les touches ALT+BAS pour dérouler la liste des choix possibles.

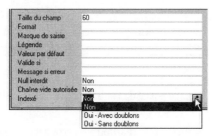

4. Choisissez *Oui - Avec doublons*. Vous pouvez cliquer sur cette option, utiliser la touche BAS puis la touche ENTRÉE (ou TAB), ou taper N pour Non.

Nous avons choisi d'indexer ce champ en raison de l'utilisation que nous voulons faire de notre base de données et de la façon dont Access manipule les données. Nous savons que nous rechercherons le plus souvent un client par son nom. Nous classerons éventuellement les noms des clients par ordre alphabétique. Nous effectuerons également des tris par code postal. Il est courant de rechercher le numéro de téléphone d'un client dont le nom est connu. Il est beaucoup plus rare de chercher le nom d'un client dont on a tout oublié sauf le numéro de téléphone. Nous indexons le champ *Société* afin d'accélérer les recherches et les tris sur ce champ.

Nous avons choisi une indexation avec doublons, ce qui signifie que deux clients peuvent avoir le même nom. Dans le cas de la clé primaire, les doublons sont interdits car Access doit avoir un moyen d'identifier un enregistrement sans ambiguïté.

Utilisation d'une règle de validation

Pour le champ *Code postal*, nous allons utiliser une règle de validation. Il est possible de définir une règle quelconque pour chaque champ. Si vous essayez de saisir une valeur ne respectant pas la règle fixée, Access refuse l'entrée et affiche un message d'erreur. La règle sera la suivante :

Un code postal doit être composé de cinq chiffres.

Nous utiliserons d'ailleurs cette règle explicitement comme message d'erreur. En revanche, pour qu'elle soit comprise par Access, nous devons la formuler différemment. Procédez de la façon suivante :

1. Passez dans le champ *Code postal* (cliquez dans ce champ ou tapez F6 pour revenir à la partie supérieure de la fenêtre).

2. Pour la longueur, indiquez **5**.

3. Cliquez dans la zone *Valide si*. Un bouton est affiché à droite de la zone :

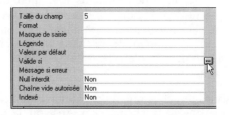

Taille du champ	5
Format	
Masque de saisie	
Légende	
Valeur par défaut	
Valide si	
Message si erreur	
Null interdit	Non
Chaîne vide autorisée	Non
Indexé	Non

4. Cliquez sur ce bouton. La fenêtre du *générateur d'expression* est affiché (Figure 4.2).

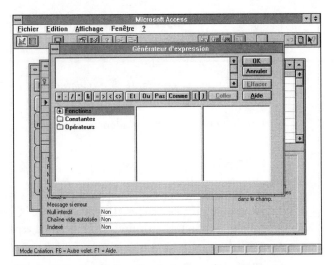

Figure 4.2 : La fenêtre du générateur d'expression.

Le générateur d'expression est disponible chaque fois que vous devez saisir une expression. Il vous aide à éviter les fautes de syntaxe en vous permettant d'entrer les divers opérateurs en cliquant sur des boutons.

La règle que nous voulons appliquer est la suivante :

Comme "#####"

Chaque dièse représente un chiffre. Cette règle dit simplement que la valeur entrée pour le champ doit être conforme au modèle indiqué.

5. Cliquez sur le bouton *Comme.*

6. Cliquez sur l'icône de répertoire appelée *Constantes.* Une liste de constantes est affichée à droite de la fenêtre :

7. Sélectionnez la constante *"" - ChaîneVide*. Deux guillemets sont ajoutés après l'opérateur *Comme*.

8. Cliquez entre ces deux guillemets et tapez :

    #####

    (Le signe # est obtenu en tapant la touche 3 tout en maintenant la touche ALT GR enfoncée. Cette touche se trouve à droite de la barre d'espacement.)

9. Cliquez sur *OK.*

Bien entendu, il aurait été plus simple de taper directement l'expression sans employer le générateur. Notre seul but était ici de vous faire découvrir son utilisation. Il s'agit en effet d'un outil extrêmement efficace pour la saisie des expressions complexes.

La syntaxe des expressions utilisées ici est identique à celle d'Access Basic, le langage de programmation d'Access. Cependant, Access Basic n'utilise que les mots anglo-saxons. Dans les expressions de validation d'Access, vous pouvez employer indifféremment les termes américains ou français.

La validation des données est toujours active au moment de la saisie, de la modification ou de l'importation des données. En revanche, si vous ajoutez une telle règle alors que des données sont déjà saisies, Access affiche un message vous proposant de tester la validité des données, comme nous le verrons plus loin.

Saisie d'un message d'erreur

Dans la zone *Message si erreur,* entrez le texte suivant :

Un code postal doit être composé de cinq chiffres.

Afin de contrôler le fonctionnement de la règle de validation, passez en mode *feuille de données* (en cliquant sur le bouton de la barre d'outils ou en utilisant le menu *Affichage*). Cliquez sur *OK* lorsque Access vous propose d'enregistrer les modifications et lorsqu'il vous prévient qu'un champ a été raccourci.

Access affiche un nouveau message pour vous proposer de tester la validité des données existantes en appliquant la nouvelle règle. Cliquez sur *OK.*

Une fois les données vérifiées, la table est affichée en mode *feuille de données.* Dans le champ *Code postal* du premier enregistrement, remplacez la valeur 77300 par 77300. Lorsque vous tapez la touche ENTRÉE, la boîte de dialogue de la Figure 4.3 est affichée, pour vous indiquer que vous avez fait une erreur de saisie. Cliquez sur *OK* ou tapez la touche ENTRÉE et corrigez l'erreur.

Revenez en mode *création* et modifiez la longueur des autres champs de la façon suivante :

Adresse = 40,   Ville = 30,   Téléphone = 15,   Fax = 15, Contact = 30.

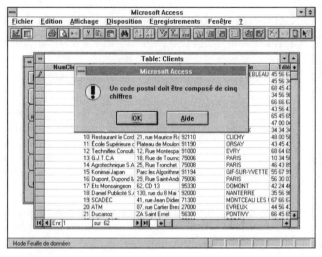

Figure 4.3 : Le message d'erreur.

Insertion de champs

Nous allons maintenant ajouter un champ. Nous voulons un champ contenant la date de dernière commande du client. Il sera inséré avant le champ *Contact*. Le type de données sera évidemment *Date/Heure*. La valeur par défaut sera la date du jour de la saisie. Nous interdirons une valeur postérieure à cette date. Pour insérer un champ, procédez de la façon suivante :

1. Sélectionnez le champ *avant* lequel vous voulez effectuer l'insertion (le champ *Contact*).

2. Cliquez sur le bouton *droit* de la souris. Un *menu contextuel* est affiché (Figure 4.4). Ce menu est toujours disponible, mais son contenu change selon la position du pointeur. Vous y trouverez toujours, en principe, les commandes les plus

utiles. De plus, ce menu étant affiché à la position du pointeur, vous évitez ainsi des déplacements importants.

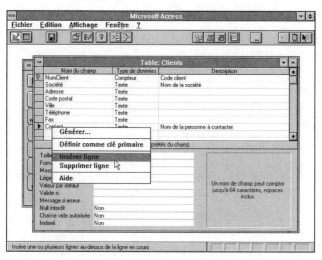

Figure 4.4 : Le menu contextuel.

3. Cliquez sur *Insérer une ligne*.

Vous pouvez aussi insérer un champ en cliquant sur le bouton d'insertion, dans la barre d'outils :

Pour définir le champ, suivez les instructions ci-dessous :

1. Dans la colonne *Nom du champ*, tapez **Date**.

2. Dans la colonne *Type de données*, choisissez *Date/Heure*.

3. Dans la zone *Description*, tapez **Date de la dernière commande**.

4. Passez dans la partie inférieure de la table.

5. Dans la zone *Format*, choisissez *Date, réduit*.

6. Dans la zone *Valeur par défaut*, tapez **=Date()**.

7. Dans la zone *Valide si*, tapez **<=Date()**.

N'hésitez pas à employer le générateur d'expression si vous le souhaitez. Bien que sa fonction principale soit de faciliter la saisie en évitant les erreurs de frappe, son principal intérêt est qu'il vous permet de retrouver la syntaxe correcte des expressions.

8. Dans la zone *Message si erreur*, tapez :

    La date doit être antérieure ou égale à la date du jour.

N'oubliez pas que vous pouvez à tout moment utiliser la fonction zoom (MAJ+F2).

9. Cliquez dans la zone *Masque de saisie*.

10. Cliquez sur le bouton affiché à droite de la zone. La fenêtre de l'*Assistant Masque de saisie* est affichée (Figure 4.5).

11. Le format correct étant sélectionné (*Date, réduit*), cliquez sur *Suivant*. Access affiche la deuxième page de l'assistant. Elle vous permet de modifier le masque de saisie proposé. Cliquez sur *Suivant*.

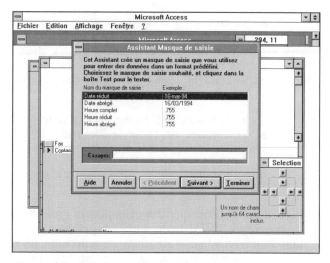

Figure 4.5 : L'Assistant Masque de saisie.

12. La dernière page ne comporte qu'une seule option servant à afficher une fiche conseil concernant la personnalisation des masques de saisie. Cliquez sur *Terminer*. Le masque de saisie est affiché dans la zone correspondante de la table.

Note : Etant donné que nous n'avons pas modifié le masque proposé, nous aurions tout aussi bien pu cliquer sur *Terminer* dans la première page de l'assistant.

13. Passez en mode *feuille de données*. Access affiche un message pour vous demander si vous souhaitez enregistrer les modifications apportées à la table. Cliquez sur *OK*. Cliquez de nouveau sur *OK* lorsque Access vous prévient que des champs ont été raccourcis.

Vous pouvez maintenant saisir un nouveau champ avec une date de commande :

1. Créez un nouvel enregistrement, par exemple en utilisant l'option *Nouveau* du sous-menu *Atteindre* du menu *Enregistrements*, ou en allant au dernier enregistrement, puis au suivant, ou encore en utilisant la commande *Ajout* (menu *Enregistrements*).

2. Tapez la touche TAB pour passer au champ *Société*. Le numéro de client sera fourni par Access lorsque vous validerez l'enregistrement.

3. Tapez le nom de la société, l'adresse, le code postal, la ville, le téléphone et le fax.

En arrivant au champ *Date*, vous pouvez constater que celui-ci contient la date du jour. Vous pouvez l'accepter sans la modifier, ou taper une date antérieure (si vous êtes en retard dans votre travail). Lorsque vous commencez à taper, le masque de saisie s'affiche pour vous guider. (Vous ne devez taper que les données et non les tirets séparant les jours, les mois et les années.) Si vous tapez une date postérieure à la date du jour, vous obtenez un message d'erreur.

Supprimer des champs

Supprimer un champ est aussi facile que supprimer un enregistrement. Il suffit de le sélectionner (en mode *création*) et de taper la touche SUPPR, ou d'utiliser la commande *Supprimer* du menu *Edition* ou du menu contextuel.

Nous allons supprimer le champ que nous venons de créer. Procédez de la façon suivante :

1. Passez en mode *création*.

2. Sélectionnez le champ *Date* en cliquant à gauche de la colonne *Nom du champ*. Le champ entier

doit être affiché sur fond noir, comme le montre
la Figure 4.6.

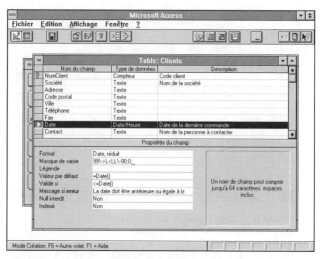

Figure 4.6 : Le champ Date *sélectionné.*

3. Déroulez le menu *Edition* ou le menu contextuel
   et cliquez sur *Supprimer*. (Vous pouvez également
   cliquer sur le bouton de suppression de ligne.)

Un message vous avertit que la suppression d'un champ
entraîne la perte de toutes les données qu'il contient
(Figure 4.7).

4. Cliquez sur *OK* ou tapez la touche ENTREE pour
   confirmer. Si vous souhaitez annuler l'opération,
   cliquez sur *Annuler* ou tapez les touches TAB
   (pour sélectionner le bouton *Annuler*) puis
   ENTREE.

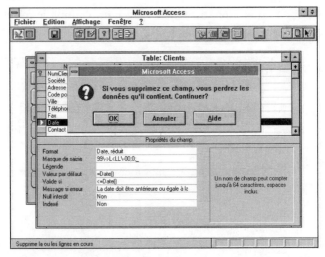

Figure 4.7 : Suppression d'un champ.

Vous pouvez également supprimer plusieurs champs en une seule opération. Il suffit pour cela de les sélectionner comme vous avez appris à le faire pour les enregistrements, au chapitre précédent.

Déplacement des champs

Il est tout à fait possible de modifier l'ordre des champs. Par exemple, pour placer le champ *Contact* entre les champs *Société* et *Adresse*, procédez de la façon suivante :

1. Sélectionnez le champ *Contact* en cliquant à gauche de la colonne *Nom de champ* lorsque le pointeur a l'aspect d'une flèche noire dirigée vers la droite.

Téléphone	Texte
Fax	Texte
Contact	Texte

2. Relâchez le bouton de la souris.

3. Sans déplacer le pointeur, pressez de nouveau le bouton de la souris et maintenez-le enfoncé. Un petit rectangle gris est ajouté au pointeur.

4. Faites glisser le pointeur vers le haut. Une ligne noire se déplace en même temps. Placez-la entre les champs *Société* et *Adresse*.

5. Relâchez le pointeur. Le champ *Contact* se trouve maintenant entre les champs *Société* et *Adresse*.

Passez en mode *feuille de données*. La colonne *Contact* est maintenant affichée avant la colonne *Adresse*, ce qui vous permet de visualiser en même temps le nom de la société et le nom de la personne à contacter. Nous allons voir que le même résultat aurait pu être obtenu plus facilement.

Mise en forme de la feuille de données

Dans la section précédente, nous avons modifié l'ordre des champs afin que les colonnes soient affichées dans un ordre différent en mode *feuille de données*. Nous allons voir qu'il est également possible de modifier l'ordre des colonnes de la feuille de données sans changer l'ordre des champs.

Modification de l'ordre des colonnes

Nous allons à présent placer le numéro de téléphone immédiatement après le nom de la personne à contacter. Procédez de la façon suivante :

1. La table étant affichée en mode *feuille de données,* faites défiler l'affichage afin que la colonne *Téléphone* soit visible.

2. Placez le pointeur sur la tête de colonne, appelée *sélecteur de champ.* Le pointeur prend la forme d'une flèche noire dirigée vers le bas.

3. Cliquez et relâchez le bouton de la souris. La colonne entière est maintenant sélectionnée.

4. Sans déplacer le pointeur, cliquez de nouveau sur le sélecteur de champ et maintenez le bouton de la souris enfoncé.

5. Déplacez le pointeur vers la gauche. Une barre verticale noire se déplace avec lui.

6. Placez la barre verticale entre les colonnes *Contact* et *Adresse,* comme indiqué sur la Figure 4.8. Notez que l'affichage défile automatiquement lorsque vous atteignez la limite de la fenêtre.

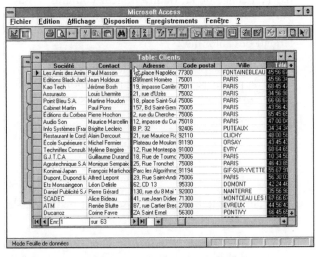

Figure 4.8 : Déplacement de la colonne Téléphone.

7. Relâchez le bouton de la souris. La colonne *Téléphone* se trouve maintenant en quatrième position.

La position des colonnes est enregistrée avec la table. Il n'est donc pas nécessaire de la modifier à chaque utilisation. En revanche, si vous modifiez la position des champs en mode *création*, toutes les modifications antérieures de l'ordre des colonnes sont annulées.

Largeur des colonnes

Notre table nous permet maintenant de visualiser simultanément le nom d'un client, celui de la personne à contacter et le numéro de téléphone. Cependant, l'espace disponible n'est pas judicieusement employé. Certaines colonnes sont trop larges, d'autres ne permettent pas l'affichage de la totalité de leur contenu. Pour l'instant, toutes les colonnes ont la même largeur, appelée *largeur standard*. Nous pouvons facilement modifier la largeur des colonnes :

1. Placez le pointeur entre les sélecteurs de champ de la première et de la deuxième colonne. Il prend la forme d'une double flèche horizontale.

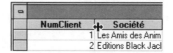

2. Pressez le bouton de la souris et maintenez-le enfoncé.

3. Faites glisser le pointeur vers la gauche jusqu'à l'obtention de la largeur souhaitée (Figure 4.9).

Nous allons maintenant augmenter la largeur de la deuxième colonne en utilisant le menu *Disposition*.

1. Sélectionnez la deuxième colonne par la méthode de votre choix.

2. Déroulez le menu *Disposition* ou le menu contextuel.

Figure 4.9 : Réduction de la largeur de la première colonne.

3. Sélectionnez l'option *Largeur de colonne.* Une boîte de dialogue est affichée. L'option *Largeur standard* est cochée, ce qui nous indique que la colonne a la largeur standard, définie à l'aide de la commande *Options* du menu *Affichage* dans la catégorie *Feuille de données.* La largeur standard est de 18,49. Elle est indiquée en nombre de caractères dans la police standard (MS Sans Serif, taille 8).

4. Tapez **35**.

5. Cliquez sur *OK* ou tapez la touche ENTRÉE. La Figure 4.10 montre le résultat obtenu.

Figure 4.10 : La deuxième colonne élargie.

Ajustage des colonnes à leur contenu

Vous pouvez ajuster la largeur des colonnes à leur contenu en cliquant deux fois sur la limite séparant les entêtes :

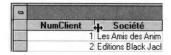

Faites-le pour ajuster la largeur des autres colonnes afin d'optimiser l'affichage. La Figure 4.11 montre le résultat obtenu.

Figure 4.11 : Les largeurs de colonnes adaptées à leur contenu.

Hauteur des lignes

La hauteur des lignes se règle exactement de la même façon que la largeur des colonnes, en faisant glisser la limite entre deux lignes ou en utilisant la commande *Hauteur de ligne* du menu *Disposition*.

La hauteur de ligne concerne toutes les lignes. Il n'est donc pas nécessaire de sélectionner une ligne particulière pour la modifier.

Il peut y avoir deux raisons pour modifier la hauteur de ligne. La première est due au fait qu'Access utilise une hauteur de ligne proportionnelle à la hauteur des caractères. Ainsi, avec une police de taille 8, la hauteur de ligne standard est de 10,5. En choisissant une hauteur de 9, vous pourrez visualiser un plus grand nombre d'enre-

gistrements simultanément. Pour choisir une hauteur de
ligne de 9, procédez de la façon suivante :

1. Déroulez le menu *Disposition*.

2. Cliquez sur *Hauteur de ligne*. Une boîte de dialogue est affichée.

3. Dans la zone *Hauteur de ligne*, tapez **9**.

4. Cliquez sur *OK* ou tapez la touche ENTRÉE.

La Figure 4.12 montre le résultat obtenu. Vous pouvez
maintenant visualiser 25 enregistrements au lieu de 21.

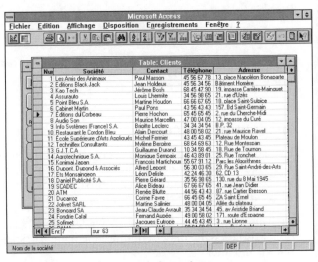

Figure 4.12 : La hauteur de ligne diminuée.

La seconde raison qui peut vous amener à modifier la
hauteur de ligne est la volonté de visualiser des champs
comportant plusieurs lignes de texte.

Ainsi, si vous devez saisir une adresse sur deux lignes, il vous suffit de taper les touches CTRL+ENTRÉE avant de saisir la seconde ligne.

A titre d'exemple, nous allons saisir une deuxième ligne d'adresse pour le deuxième enregistrement. Procédez de la façon suivante :

1. Placez le pointeur de texte au début du champ *Adresse* du deuxième enregistrement.

2. Tapez :

   Bâtiment Homère

   suivi des touches CTRL+ENTRÉE.

3. Enregistrez la modification en tapant la touche BAS (par exemple).

L'adresse est maintenant sur deux lignes, mais seule la première est visible.

Adresse
13, place Napoléon Bonaparte
Bâtiment Homère

Pour que l'adresse soit visible entièrement, il faut augmenter la hauteur de ligne. A l'aide de la souris, vous pouvez le faire de manière interactive. Procédez de la façon suivante :

1. Placez le pointeur à gauche de la première colonne, sur la limite séparant les enregistrements 2 et 3. Il prend la forme d'une double flèche verticale.

2. Pressez le bouton de la souris et maintenez-le enfoncé.

3. Faites glisser le pointeur vers le bas. Une ligne noire horizontale se déplace en même temps que le pointeur. Faites-la descendre un peu plus bas que la ligne séparant les enregistrements 3 et 4 (Figure 4.13).

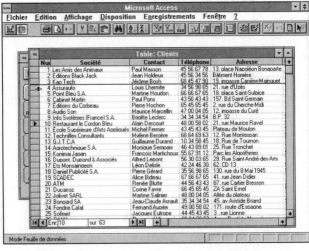

Figure 4.13 : Augmentation de la hauteur des lignes.

4. Relâchez le pointeur. L'adresse de l'enregistrement 2 est maintenant entièrement visible.

L'inconvénient est que vous ne pouvez plus voir que dix enregistrements simultanément. Revenez à l'affichage normal en utilisant la commande *Hauteur de ligne* du menu *Disposition* et cliquez sur *Hauteur standard* dans la boîte de dialogue affichée.

Changement de police de caractères

Vous pouvez modifier la police, la taille et le style des caractères utilisés pour l'affichage. La modification s'applique à la totalité de la feuille.

Pour modifier la police de caractères, procédez de la façon suivante :

1. Déroulez le menu *Disposition*.

2. Cliquez sur *Police*. Une boîte de dialogue est affichée.

3. Dans la zone *Police*, faites défiler la liste des polices disponibles. Vous pouvez constater qu'il existe trois types de polices. Il s'agit des polices écran, des polices TrueType et des polices PostScript.

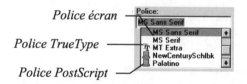

Les polices PostScript ne sont disponibles que si vous avez sélectionné une imprimante de ce type ou si vous avez installé l'utilitaire ATM.

4. Sélectionnez la police *Times New Roman*.

• La zone *Style* permet de sélectionner éventuellement un caractère gras ou italique.

- La zone *Taille* sert à choisir la taille des caractères. Vous pouvez taper dans la zone de texte une taille ne figurant pas dans la liste déroulante, mais il doit s'agir d'une valeur entière.

- La zone *Effets* permet d'indiquer si le texte doit être souligné.

- La zone *Exemple* montre un exemple de texte formaté avec les options choisies.

5. Cliquez sur *OK* ou tapez la touche ENTRÉE.

Vous vous demandez peut-être selon quels critères doit s'effectuer le choix d'un type de police. Les polices écran sont parfaites pour l'affichage, à condition de s'en tenir aux tailles existantes. Les polices PostScript donnent un bon affichage si vous possédez ATM, l'utilitaire d'affichage d'Adobe. Grâce à ce programme, les polices PostScript donnent également de bons résultats avec les imprimantes non PostScript. Si vous ne possédez pas cet utilitaire, vous ne devez employer les polices PostScript que pour imprimer sur une imprimante de ce type. Les polices TrueType, en revanche, donnent d'excellents résultats à l'affichage et avec tous les types d'imprimantes, sans employer d'utilitaires spéciaux.

La police *Times* n'étant pas idéale pour l'affichage, choisissez de nouveau la police *MS Sans Serif* ou la police *Arial.*

Modification de la disposition des colonnes

Dans la section précédente, nous avons modifié l'ordre des colonnes afin qu'il soit plus facile de consulter simultanément les noms des clients, les noms des personnes à contacter et les numéros de téléphone. Cependant, nous aimerions maintenant consulter les numéros de fax. Hélas, ceux-ci ne sont plus visibles. Si nous faisons défiler la fenêtre horizontalement, nous voyons bien les numéros de fax, mais plus les noms des clients.

Bien sûr, nous pourrions de nouveau modifier l'ordre des colonnes. Cependant, nous n'avons besoin que temporairement des numéros de fax et nous ne voulons pas avoir à remettre les colonnes dans l'ordre après coup. La solution consiste à masquer certaines colonnes.

Masquage des colonnes

Nous allons masquer les colonnes *Adresse, Code postal* et *Ville.* Pour cela, procédez de la façon suivante :

1. Placez le pointeur dans le champ *Adresse* d'un enregistrement quelconque.

2. Déroulez le menu *Disposition.*

3. Sélectionnez l'option *Masquer les colonnes.*

La colonne *Adresse* n'est plus affichée. Il est également possible de masquer plusieurs colonnes à la fois en procédant ainsi :

1. Placez le pointeur sur le sélecteur de champ du champ *Code postal* (l'en-tête de la colonne). Le pointeur prend la forme d'une flèche noire dirigée vers le bas.

2. Pressez le bouton de la souris et maintenez-le enfoncé.

3. Faites glisser le pointeur jusqu'à la colonne *Ville.*

4. Les deux colonnes étant sélectionnées, déroulez le menu *Disposition* et cliquez sur *Masquer les colonnes.* La Figure 4.14 montre le résultat obtenu.

Figure 4.14 : Les colonnes Adresse, Code postal *et* Ville *masquées.*

Vous pouvez maintenant consulter sans difficulté les noms des sociétés et les numéros de fax.

Si vous devez masquer plusieurs colonnes non contiguës, vous devez effectuer autant de fois l'opération. Il existe une façon plus rapide de procéder. Elle permet d'ailleurs également d'afficher les colonnes masquées.

Affichage des colonnes masquées

Pour afficher les colonnes masquées ou pour masquer d'autres colonnes, vous pouvez employer la méthode suivante :

1. Déroulez le menu *Disposition*.

2. Sélectionnez l'option *Afficher les colonnes*. Une boîte de dialogue est affichée. Elle contient la liste des colonnes et indique si elles sont affichées (cochées) ou masquées (non cochées).

Pour masquer ou afficher une colonne, il suffit de sélectionner son nom et de cliquer sur *Masquer* (ALT+M), ou sur *Afficher* (ALT+A). Lorsque vous avez terminé, cliquez sur *Fermer* (ALT+F). Affichez de nouveau toutes les colonnes avant de fermer la boîte de dialogue.

Figer les colonnes

Si vous devez consulter à tour de rôle le nom de la personne à contacter, l'adresse et le numéro de fax tout en visualisant en permanence le nom du client, vous pouvez employer une autre méthode, consistant à figer l'affichage des colonnes qui doivent toujours être apparentes. Nous allons figer la colonne *Société*.

1. Placez le pointeur dans le champ *Société* d'un enregistrement quelconque.

2. Déroulez le menu *Disposition* et sélectionnez l'option *Figer les colonnes*.

La colonne *Société* est maintenant affichée en première position et elle est séparée des autres par une ligne verticale plus foncée. Si vous faites défiler l'affichage horizontalement, la colonne *Société* ne bouge pas, comme on peut le voir sur la Figure 4.15.

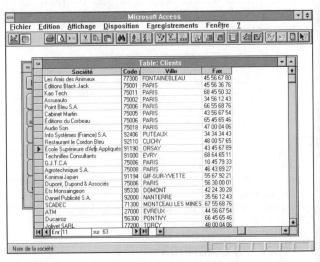

Figure 4.15 : La colonne Société *ne défile plus.*

Il est également possible de figer plusieurs colonnes. S'il s'agit de colonnes voisines, vous pouvez les sélectionner, puis les figer en une seule opération. Dans le cas contraire, vous devez procéder en plusieurs fois.

Pour libérer les colonnes et revenir à l'affichage normal, déroulez le menu *Disposition* et sélectionnez l'option *Libérer toutes les colonnes*.

Libérez les colonnes et replacez-les dans leur position d'origine, c'est-à-dire en deuxième position pour la colonne *Société* et en avant-dernière position pour la colonne *Ville*.

Enregistrement de la mise en forme

Une fois la table mise en forme à votre convenance, vous devez l'enregistrer. Procédez de la façon suivante :

1. Déroulez le menu *Fichier*.

2. Sélectionnez l'option *Enregistrer la mise en forme*.

Si vous oubliez de le faire et que vous fermez la table, Access affiche un message pour vous en avertir et vous proposer d'enregistrer les modifications. Vous pouvez enregistrer la table (*Oui*), abandonner les modifications effectuées (*Non*) ou annuler l'opération et revenir à la feuille de données (*Annuler*).

Manipulation des fenêtres

Pour l'instant, notre base de données ne comporte que deux fenêtres : la fenêtre de la base de données elle-même et la fenêtre de la table *Clients*. Afin d'étudier les techniques d'organisation de l'affichage des fenêtres, nous allons ouvrir une nouvelle fenêtre. Procédez de la façon suivante :

1. Déroulez le menu *Fichier* et sélectionnez l'option *Nouveau*. Un sous-menu est affiché.

2. Sélectionnez l'option *Table* puis cliquez sur le bouton *Table vierge*. Une nouvelle table est affichée en mode *création*.

Vous pouvez constater que la fenêtre de la base de données se trouve à l'arrière-plan. Sa taille est relativement réduite.

Juste au-dessus de la fenêtre de la base de données se trouve celle de la table *Clients*.

Enfin, au premier plan, on peut voir la fenêtre de la nouvelle table, appelée *Table1*. Il s'agit de la fenêtre active. Remarquez que ses dimensions sont inférieures à celles de la fenêtre *Clients*. Chaque fois qu'une nouvelle fenêtre est ouverte (hormis celle de la base de données), Access lui donne une taille inférieure à celle de la précédente. Dans notre cas, vous pouvez activer très facilement la fenêtre *Clients* en cliquant sur sa partie visible. Faites-le. La Figure 4.16 montre le résultat obtenu. La fenêtre *Table1* est complètement invisible.

Figure 4.16 : La fenêtre Table1 *est complètement invisible.*

Activer une fenêtre invisible

Pour activer une fenêtre qui n'est plus visible, vous pouvez utiliser le menu *Fenêtre*. Procédez de la façon suivante :

1. Déroulez le menu *Fenêtre*. Au bas de ce menu se trouve la liste des fenêtres ouvertes. La fenêtre active (*Clients*) est cochée.

2. Cliquez sur *Table: Table1* ou tapez la touche 3. La fenêtre *Table1* est affichée au premier plan.

Activation des fenêtres à l'aide du clavier

Une autre façon d'activer les fenêtres consiste à utiliser le clavier. Vous pouvez, bien sûr, utiliser le menu *Ecran* à l'aide du clavier, mais il existe d'autres commandes.

- Les touches CTRL+F6 permettent de passer d'une fenêtre à l'autre, d'une façon circulaire. Une fois la dernière fenêtre activée, vous retrouvez la première. L'ordre des fenêtres est celui dans lequel elles ont été ouvertes.

- Les touches CTRL+MAJ+F6 activent les fenêtres de façon circulaire également, mais en sens inverse. Ainsi, si la commande CTRL+F6 vous fait passer de la fenêtre *Table1* à la fenêtre *Clients*, la commande CTRL+MAJ+F6 vous ramène à la fenêtre *Table1*.

- La touche F11 (ou les touches ALT+F1, pour ceux qui n'ont que dix touches de fonction) active la fenêtre de la base de données, tout comme le bouton correspondant de la barre d'outils :

- Les touches CTRL+F4 permettent de fermer la fenêtre active.

Organiser l'affichage des fenêtres

Lorsque de nombreuses fenêtres sont ouvertes, l'écran peut devenir très encombré. Pour organiser l'affichage, vous pouvez, bien entendu, déplacer les fenêtres en faisant glisser leurs barres de titres et modifier leurs dimensions en faisant glisser leurs bordures. Access offre par ailleurs la possibilité d'organiser automatiquement l'affichage. Pour cela, procédez de la façon suivante :

1. Déroulez le menu *Fenêtre* et sélectionnez *Mosaïque*. Access divise automatiquement l'écran en autant de surfaces égales qu'il y a de fenêtres ouvertes.

2. Déroulez le menu *Fenêtre* et sélectionnez cette fois l'option *Cascade*. La Figure 4.17 montre le résultat obtenu.

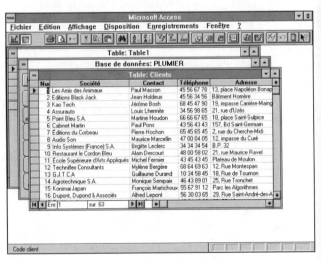

Figure 4.17 : Les fenêtres disposées en cascade.

Masquer et afficher les fenêtres

Une autre manière de ranger l'écran consiste à masquer certaines fenêtres. Une fenêtre masquée est invisible, mais elle est plus rapidement accessible qu'une fenêtre fermée. Par ailleurs, le masquage permet de faire disparaître la fenêtre de la base de données tout en continuant à travailler sur ses éléments.

Pour masquer une fenêtre, procédez de la façon suivante :

1.   Activez la fenêtre à masquer.

2.   Déroulez le menu *Fenêtre*.

3.   Sélectionnez l'option *Masquer la fenêtre*.

Pour afficher une fenêtre masquée, voici la procédure à suivre :

1.   Déroulez le menu *Ecran*.

2.   Sélectionnez l'option *Afficher une fenêtre*. Une boîte de dialogue apparaît.

3.   Sélectionnez la fenêtre à afficher.

4.   Cliquez sur *OK* ou tapez la touche ENTREE.

Réduction d'une fenêtre en icône

Une autre façon de faire de la place sur l'écran est de réduire certaines fenêtres en icônes, en cliquant dans leur case de réduction. La Figure 4.18 montre des fenêtres réduites en icônes.

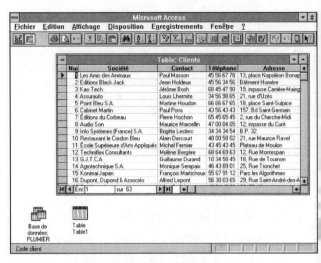

Figure 4.18 : Des fenêtres réduites en icônes.

La commande *Réorganiser les icônes* du menu *Ecran* permet d'aligner automatiquement les icônes.

Pour ouvrir une fenêtre réduite en icône, il suffit de cliquer deux fois dessus.

Affichage en mode plein écran

Il existe encore une façon d'organiser l'affichage. Elle consiste à afficher les fenêtres en mode *plein écran* :

1. Sélectionnez la fenêtre sur laquelle vous souhaitez travailler.

2. Cliquez dans sa case d'agrandissement.

La Figure 4.19 montre le résultat obtenu.

Nu	Société	Contact	Téléphone	Adresse	Code	V
1	Les Amis des Animaux	Paul Masson	45 56 67 78	13, place Napoléon Bonaparte	77300	FONTAINE
2	Éditions Black Jack	Jean Holdeux	45 56 34 56	Bâtiment Homère	75001	PARIS
3	Kao Tech	Jérôme Bosh	68 45 47 90	19, impasse Carrière-Mainguet	75011	PARIS
4	Assurauto	Louis Lhermite	34 56 98 65	21, rue d'Uzès	75002	PARIS
5	Point Bleu S.A.	Martine Houdon	66 66 67 65	18, place Saint-Sulpice	75006	PARIS
6	Cabinet Martin	Paul Pons	43 56 43 43	157, Bd Saint-Germain	75005	PARIS
7	Éditions du Corbeau	Pierre Hochon	65 45 65 45	2, rue du Cherche-Midi	75006	PARIS
8	Audio Son	Maurice Marcellin	47 00 04 05	12, impasse du Curé	75018	PARIS
9	Info Systèmes (France) S.A.	Brigitte Leclerc	34 34 34 54	B.P. 32	92406	PUTEAUX
10	Restaurant le Cordon Bleu	Alain Dercourt	48 00 58 02	21, rue Maurice Ravel	92110	CLICHY
11	École Supérieure d'Arts Appliqués	Michel Fermier	43 45 43 45	Plateau de Moulon	91190	ORSAY
12	Techniflex Consultants	Mylène Bergère	68 64 69 63	12, Rue Montespan	91000	EVRY
13	G.J.T.C.A	Guillaume Durand	10 34 58 45	18, Rue de Tournon	75006	PARIS
14	Agrotechnique S.A.	Monique Sempax	46 43 89 01	25, Rue Tronchet	75008	PARIS
15	Konimai Japan	François Martichoux	55 67 91 12	Parc les Algorithmes	91194	GIF-SUR-Y
16	Dupont, Dupond & Associés	Alfred Lepont	56 30 03 65	29, Rue Saint-André-des-Arts	75006	PARIS
17	Ets Monsaingeon	Léon Delisle	42 24 46 30	62, CD 13	95330	DOMONT
18	Daniel Publicité S.A.	Pierre Gérard	35 56 96 65	130, rue du 8 Mai 1945	92000	NANTERRI
19	SCADEC	Alice Bideau	67 66 67 65	41, rue Jean Didier	71300	MONTCEA
20	ATM	Renée Blutte	44 56 43 43	87, rue Cartier Bresson	27000	EVREUX
21	Ducarroz	Corine Favre	66 45 65 45	ZA Saint Emel	56300	PONTIVY
22	Jolivet SARL	Martine Salinier	40 00 04 05	Allée du plateau	77200	TORCY
23	Bongard SA	Jean-Claude Ayrault	35 34 34 54	45, av Aristide Briand	94110	ARCUEIL
24	Fondrie Cafal	Fernand Aupée	49 00 58 02	171, route d'Espagne	31037	TOULOUSI
25	Sofimet	Jacques Eutrope	44 45 43 45	3, rue Lionne	38000	GRENOBL
26	QAMA	Raymond Mimouni	69 64 69 63	4, rue Baptiste Marcet	38600	FONTAINE

Figure 4.19 : Affichage en mode plein écran.

Le passage en mode plein écran concerne toutes les fenêtres à la fois. L'activation des fenêtres continue de se
faire par les mêmes méthodes, à l'exception de celle qui
consiste à cliquer sur la partie visible d'une fenêtre.

Pour revenir à l'affichage dans une fenêtre, cliquez dans
la case *Restauration*. (Attention, il ne s'agit pas de la case
Restauration de l'application. Celle dont il est question
ici est située à l'extrémité de la barre de menus.)

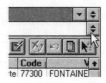

Dans ce chapitre, vous avez appris à organiser l'affichage des données et des fenêtres. Dans le chapitre suivant, nous étudierons le concept de relation entre tables, qui donne tout son sens à l'expression *base de données relationnelle.*

CHAPITRE 5

Créer des relations entre les tables

Dans ce chapitre, nous allons créer trois nouvelles tables. La première contiendra des données commerciales et financières concernant chaque client. La deuxième contiendra la liste des produits que nous vendons et la troisième la liste des fournisseurs. La première table nous servira à expérimenter une *relation un à un*. Les deux suivantes nous permettront de construire un exemple de *relation un à plusieurs*.

Nous allons tout d'abord créer une table contenant les informations suivantes, pour chaque client :

- La date de dernière commande.

- L'encours, c'est-à-dire la somme totale due par le client.

Nous pourrions, bien sûr, ajouter ces données à la table *Clients*. En effet, à chaque client correspond un seul jeu de données. C'est ce que l'on appelle une relation *un à un*. Un client ne peut avoir plusieurs montants d'encours ou plusieurs dates de dernière commande.

Cependant, ces valeurs ne sont pas constantes, comme le sont le nom, l'adresse, le téléphone ou le contact. Il est

préférable de regrouper dans une table séparée les données qui ne sont pas une caractéristique du client. En
effet, leur modification sera plus rapide, car il ne sera pas
nécessaire de manipuler des enregistrements longs pour
effectuer la mise à jour.

Nous modifierons par ailleurs la table *Clients* en ajoutant
les champs suivants :

- Les conditions de paiement.

- L'encours maximal autorisé.

- Un champ indiquant si le client désire recevoir
  une confirmation de commande.

Les conditions de paiement et l'encours maximal sont
susceptibles de changer, mais beaucoup moins souvent
que l'encours ou la date de dernière commande. Ce sont
en effet des caractéristiques de chaque client, même si
elles sont moins permanentes que le nom, l'adresse ou le
nom du contact.

Modification de la table

Nous allons commencer par modifier la table *Clients*.
Procédez de la façon suivante :

1. Ouvrez la base de données *Plumier*.

2. Ouvrez la table *Clients* en mode *création*.

3. Ajoutez les champs indiqués sur la Figure 5.1.

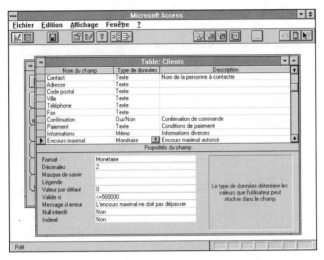

Figure 5.1 : Les champs ajoutés à la table Clients, *avec les détails du champ* Encours maximal.

La figure montre les caractéristiques du champ *Encours maximal*. Il est de type *Monétaire*, au format *Monétaire*, avec deux décimales. La valeur par défaut est 0 et la saisie est valide si la valeur est inférieure ou égale à 500 000. En cas de saisie incorrecte, le message d'erreur est le suivant :

L'encours maximal ne doit pas dépasser 500 000 francs

Le champ *Paiement* est de type *Texte* et d'une longueur de 18 caractères. La Figure 5.2 en montre le détail. La valeur par défaut est :

Chèque à réception

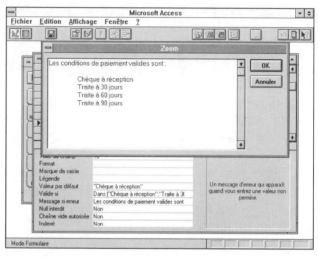

Figure 5.2 : Les détails du champ Paiement.

Dans la zone *Valide si*, nous avons entré la formule de
validation suivante :

> **Dans ("Chèque à réception";"Traite à 30 jours";"Traite à 60
> jours";"Traite à 90 jours")**

Le message à afficher en cas d'erreur apparaît sur la Figure 4.2 dans une boîte de zoom. Pour le mettre en
forme, nous avons utilisé les touches CTRL+ENTRÉE
pour les sauts de ligne et ESPACE pour les alignements.

Le champ *Confirmation* est de type *Oui/Non.* Nous
n'indiquons pas de valeur par défaut. Dans ce cas, la
valeur par défaut sera automatiquement *Non.*

Le champ *Informations* est de type *Mémo.* Ce type de
champ sert à entrer des informations de longueur quel-

conque. Nous l'utiliserons pour entrer des informations diverses concernant chaque client.

Le choix d'un type numérique

Lors de la création d'une table, il faut faire très attention au choix des types numériques. Vous pouvez employer le type *Numérique* ou le type *Monétaire*. Le type *Monétaire* permet d'éviter les erreurs d'arrondi et d'effectuer les calculs plus rapidement. Si vos données sont monétaires, il est indispensable d'employer ce type de champ.

Une fois la structure de la table modifiée, enregistrez-la, par exemple en passant en mode *feuille de données*.

Il nous faut maintenant saisir des valeurs dans ces champs. Si vous en avez le courage, faites-le en vous basant sur l'exemple de la Figure 5.3 pour les valeurs des premiers enregistrements. Entrez des valeurs du même type pour les enregistrements suivants.

Création d'une nouvelle table

Nous allons maintenant créer la table contenant l'encours et la date de dernière commande de chaque client. Cette table comportera trois champs :

- Le numéro de client.

- La date de dernière commande.

- Le montant de l'encours.

Procédez de la façon suivante :

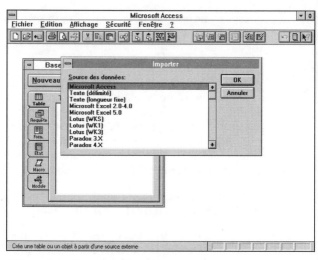

Figure 5.3 : Les nouvelles données saisies.

1. Créez une nouvelle table, par exemple en utilisant le sous-menu *Nouveau* du menu *Fichier* ou en cliquant sur le bouton *Nouveau*.

2. Pour le premier champ, indiquez le nom **Num-Client** et choisissez le type *Compteur*.

3. Dans la liste des propriétés, pour la zone *Indexé*, sélectionnez *Oui - Sans doublons*.

4. Faites-en une clé primaire en cliquant sur le bouton représentant une clé, dans la barre d'outils.

5. Créez un deuxième champ et nommez-le **En-cours**.

6. Donnez-lui le type et le format *Monétaire*, avec deux décimales.

7. Pour la valeur par défaut, indiquez **20000**.

8. Ajoutez la condition de validité suivante :

   <= 500000

9. Dans la zone *Message si erreur*, tapez le message suivant :

   L'encours est limité à 500 000 francs

10. Créez un troisième champ et nommez-le **Dernière commande**.

11. Donnez-lui le type *Date/Heure* et le format *Date, réduit*.

12. Dans la zone *Légende*, tapez **Date de dernière commande**.

13. Dans la zone *Valeur par défaut*, tapez :

    =Date()

    De cette façon, la date du jour sera utilisée par défaut.

14. Dans la zone *Valide si*, tapez :

    <=Date()

15. Dans la zone *Message si erreur*, tapez le message suivant :

    La date doit être antérieure ou égale à la date du jour

Une fois les champs définis, fermez la table. Lorsque Access vous demande le nom à donner à la table, tapez **Encours**.

Il nous faut maintenant saisir les données de la table. Faites-le en vous basant sur l'exemple de la Figure 5.4. La plupart des clients doivent avoir un encours nul. Pour les dates de dernière commande, choisissez des valeurs réparties entre le 01/01/93 et le 12/12/93. Les dates les plus anciennes doivent correspondre à des clients ayant un encours nul.

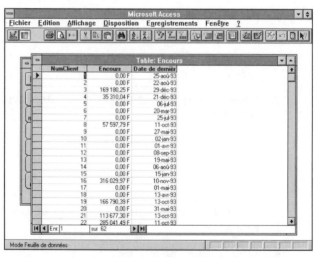

Figure 5.4 : Les données saisies dans la table Encours.

Création d'une relation un à un entre deux tables

Pour l'instant, il n'existe aucune relation entre les deux tables. Nous allons en créer une. Cette relation doit, bien sûr, être de type *un à un*, c'est-à-dire qu'à un enregistrement de la table *Clients* correspond un seul enregistrement de la table *Encours*. Procédez de la façon suivante :

1. Fermez les deux tables et déroulez le menu *Edition*.

2. Sélectionnez l'option *Relations*. La boîte de dialogue de la Figure 5.5 est affichée.

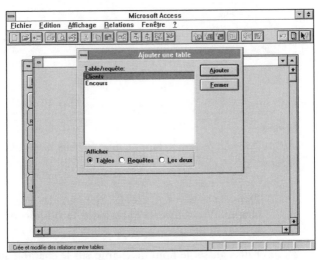

Figure 5.5 : Création d'une relation un à un entre deux tables.

3. Sélectionnez la table *Clients* et cliquez sur *Ajouter*.

4. Sélectionnez la table *Encours* et cliquez sur *Ajouter*.

5. Cliquez sur *Fermer*. La fenêtre *Relations* est affichée, avec les deux tables que vous venez de sélectionner (Figure 5.6).

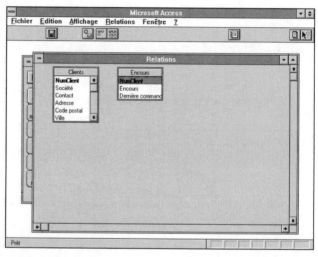

Figure 5.6 : La fenêtre Relations *avec les deux tables sélectionnées.*

6. Dans la table *Clients*, cliquez sur le nom de champ *NumClient* et maintenez le bouton de la souris enfoncé.

7. Faites glisser le nom de champ sur le champ équivalent de la table *Encours*. Une nouvelle fenêtre est affichée (Figure 5.7).

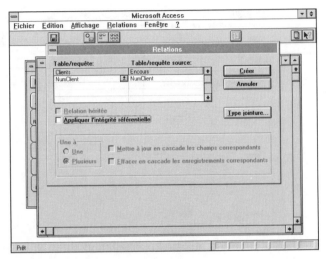

Figure 5.7 : Création de la relation.

8. Activez l'option *Appliquer l'intégrité référentielle*.
    Cette option assure qu'il ne pourra exister un en-
    registrement dans une des deux tables sans qu'il
    existe l'enregistrement correspondant dans l'autre.

9. Dans la zone *Une à*, cliquez sur *Une*. En effet, un
    client ne peut pas avoir deux dates de dernière
    commande ou deux montants d'encours.

10. Activez l'option *Effacer en cascade les enregistre-
    ments correspondants*.

11. Cliquez sur *Créer*. La relation créée est indiquée
    par un trait noir, comme on peut le voir sur la Fi-
    gure 5.8.

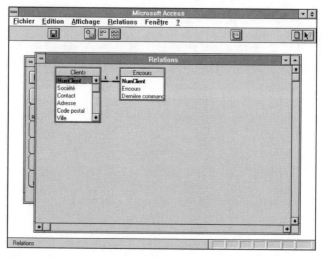

Figure 5.8 : La relation créée.

12.   Fermez la fenêtre *Relations*.

La relation est maintenant créée, mais rien ne semble l'indiquer. Pourtant, si vous essayez de créer un enregistrement dans la table *Encours* sans qu'il existe un enregistrement source correspondant, vous obtiendrez un message d'erreur. Vous devez créer l'enregistrement source avant l'enregistrement lié.

Création d'une relation de type un à plusieurs

Nous allons à présent créer une relation de type *un à plusieurs*. La procédure à suivre est exactement la même. La seule différence est que pour un même enregistrement source il peut y avoir plusieurs enregistrements liés.

Avant de créer cette relation, nous devons créer deux nouvelles tables. La première contiendra les noms et adresses des fournisseurs. Elle comportera huit champs, identiques aux huit premiers champs de la table *Clients*. Créez cette table et nommez-la *Fournisseurs*.

La seconde table contiendra les articles vendus par la société Plumier S.A. Cette table contiendra les champs suivants :

Référence	Texte	6 caractères (clé primaire)
Catégorie	Texte	15 caractères
Nom	Texte	100 caractères
Fournisseur	Numérique	Entier long
Prix	Monétaire	Deux décimales
TVA	Numérique	Réel double
Stock	Numérique	Entier
Seuil critique	Numérique	Entier

Le code fournisseur est un entier long car les relations entre tables doivent porter sur des champs de types identiques, la seule exception étant qu'un compteur peut correspondre à un entier long. Or, le code fournisseur est un compteur dans la table *Fournisseurs*, mais il ne peut pas en être de même dans la table *Articles*, car plusieurs articles peuvent avoir le même fournisseur. Nous devons donc utiliser un entier long.

Créez la table *Articles*. Ajoutez des conditions de validité comme indiqué ci-après :

Catégorie	Doit appartenir à la liste suivante :
	Papeterie
	Mobilier
	Informatique
	Communication
	Librairie
	Maroquinerie
	Audiovisuel
Prix	Doit être positif
TVA	Doit être 18,6 ou 5,5 (par défaut, 18,6)
Stock	Doit être positif ou nul
Seuil critique	Doit être positif ou nul

Une fois les deux tables créées, vous devez les remplir. Faites-le en prenant modèle sur les Figures 5.9 et 5.10. Dix fournisseurs suffisent. En revanche, plus vous saisirez d'articles, plus vos exemples seront réalistes. Les codes fournisseurs doivent évidemment exister dans la table des fournisseurs.

Nous pouvons maintenant créer une relation de type *un à plusieurs* entre ces deux tables. Procédez de la façon suivante :

1. Fermez les tables.

2. Déroulez le menu *Edition* et sélectionnez l'option *Relations*. La fenêtre *Relations* est affichées.

3. Cliquez sur le bouton d'ajout de tables :

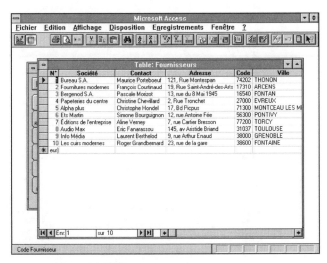

Figure 5.9 : La table Fournisseurs.

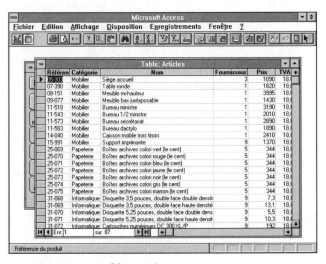

Figure 5.10 : La table Articles.

4. Dans la fenêtre affichée, sélectionnez les tables *Fournisseurs* et *Articles* en cliquant chaque fois sur *Ajouter*.

5. Cliquez sur *Fermer*.

6. Dans la fenêtre *Relations*, disposez les nouvelles tables selon votre convenance, en les faisant glisser.

7. Faites glisser le champ *N°* de la table *Fournisseurs* (la table source) sur le champ *Fournisseur* de la table *Articles* (la table liée).

8. Activez l'option *Appliquer l'intégrité référentielle* de façon à interdire la saisie d'articles sans fournisseur.

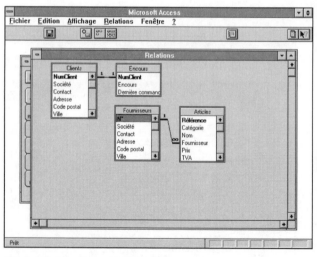

Figure 5.11 : La nouvelle relation créée.

9. Activez l'option *Effacer en cascade les enregistrements correspondants* de façon qu'Access supprime automatiquement les articles dont le fournisseur a été effacé.

10. Dans la zone *Une à*, cliquez sur *Plusieurs*.

11. Cliquez sur *Créer*. La Figure 5.11 montre la relation créée.

12. Fermez la fenêtre *Relations*. Lorsque Access vous propose d'enregistrer les modifications, cliquez sur *Oui*.

Vous venez de créer une base de données relationnelle. Pour exploiter les relations que nous venons de créer, il nous faut étudier les requêtes. Ce sera l'objet du prochain chapitre.

CHAPITRE 6

Exploiter les données à l'aide de requêtes

[annotation manuscrite]

Le véritable intérêt d'une base de données repose sur deux fonctions principales : le tri et l'extraction (ou sélection). Comme son nom l'indique, le tri consiste à ordonner les enregistrements en fonction d'un ou plusieurs critères (par ordre alphabétique, par département, etc.). L'extraction consiste à sélectionner les enregistrements correspondant à un ou plusieurs critères : clients dépassant l'encours maximal autorisé, articles en dessous du seuil de stockage critique, articles en surstockage, etc.

Ces opérations sont très facilement réalisables avec Access, au moyen de *requêtes*. Une requête est simplement une liste de conditions à remplir pour sélectionner des enregistrements.

Création d'une requête simple

La première requête que nous créerons servira simplement à sélectionner certains champs. Nous afficherons ainsi les noms des clients et des contacts ainsi que les numéros de téléphone. Pour créer une requête, procédez de la façon suivante :

1. Ouvrez la base de données.

2. Cliquez sur le bouton *Requête* (à gauche de la fenêtre de la base de données) puis sur *Nouveau*. Comme pour la création d'une table, Access vous propose l'aide d'un assistant. Cliquez sur le bouton *Requête vierge*. Une boîte de dialogue contenant la liste des tables existantes est affichée (Figure 6.1).

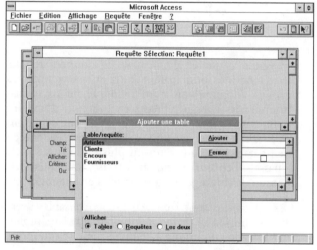

Figure 6.1 : Création d'une nouvelle requête.

3. Sélectionnez *Clients* et cliquez sur *Ajouter*.

4. Cliquez sur *Fermer*. Vous devez obtenir l'affichage de la Figure 6.2.

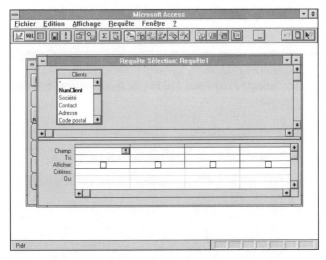

Figure 6.2 : La nouvelle requête.

Dans la partie supérieure de la fenêtre, vous pouvez voir une liste défilante contenant les noms des champs de la table que vous avez sélectionnée. Dans la partie inférieure de la fenêtre, appelée *grille d'interrogation*, se trouvent les éléments permettant de définir les caractéristiques de la requête. Nous allons afficher les noms des clients et des contacts, ainsi que leurs numéros de téléphone. Procédez de la façon suivante :

1. Dans la liste des champs (partie supérieure de la fenêtre), placez le pointeur sur *Société*, pressez le bouton de la souris et maintenez-le enfoncé.

2. Faites glisser le nom du champ jusqu'à la première colonne de la ligne *Champ*.

Le nom de champ *Société* est maintenant inscrit dans la première colonne, et la deuxième colonne est sélectionnée. Notez que la case située sur la ligne *Afficher* dans la même colonne est automatiquement cochée, pour indiquer que le champ sera affiché.

Continuez de la même façon en plaçant dans la deuxième colonne le champ *Contact* et dans la troisième le champ *Téléphone*. La Figure 6.3 montre le résultat à obtenir.

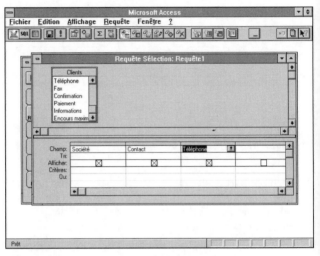

Figure 6.3 : Les trois champs sélectionnés.

Vous venez de définir une requête (très simple). Vous pouvez l'appliquer en passant en mode *feuille de réponses dynamique*, qui est l'équivalent, pour une requête, du mode *feuille de données*. Pour cela, vous pouvez cliquer sur le bouton habituel ou utiliser l'option *Exécuter* du menu *Requête*. La Figure 6.4 montre le résultat obtenu.

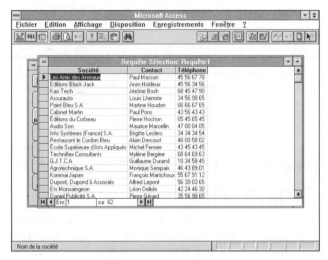

Figure 6.4 : Le résultat de la requête.

Vous pouvez constater qu'en mode *feuille de réponses dynamique* la requête se présente exactement comme une table. Vous pouvez d'ailleurs la mettre en forme de la même façon.

Trier les enregistrements

Notre liste de clients serait plus facile à consulter si les clients étaient classés par ordre alphabétique. Cela est très facile à réaliser :

1. Passez en mode *création*.

2. Placez le pointeur dans la zone *Tri* de la première colonne.

3. Déroulez la liste des options et sélectionnez *Croissant*.

Passez en mode *feuille de réponses dynamique*. Les clients sont maintenant classés par ordre alphabétique. Cette fois, notre requête est vraiment utile. Enregistrez-la en utilisant l'option *Enregistrer la requête* du menu *Fichier*. Nommez-la **Répertoire clients**.

Modification des données à l'aide d'une requête

Vous pouvez modifier les données dans une requête exactement comme dans une table. Chaque enregistrement est mis à jour lorsque vous en sélectionnez un autre ou lorsque vous tapez la touche F9.

Nous verrons plus loin que les requêtes de type *action* permettent de modifier automatiquement les données sélectionnées.

Utilisation d'un critère de sélection

Si nous voulons obtenir la liste des clients parisiens classée par ordre alphabétique, cela est très facile. Procédez de la façon suivante :

1. Ouvrez la requête en mode *création*.

2. Dans la quatrième colonne de la ligne *Champ*, ajoutez le champ *Ville*.

3. Dans la ligne *Critères*, tapez la condition suivante :

="PARIS"

4. Affichez la feuille de réponses dynamique.

Nous pouvons utiliser aussi facilement des critères plus complexes. Si nous voulons la liste des clients parisiens ou lyonnais dont l'encours maximal est supérieur à 150 000 francs, il nous suffit d'employer les critères de la Figure 6.5.

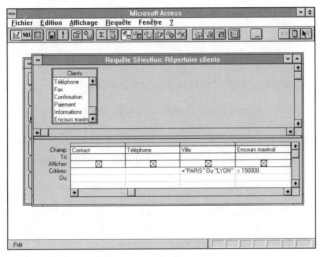

Figure 6.5 : Une sélection multicritère.

Notez que nous avons réduit la largeur des colonnes de la grille d'interrogation afin de rajouter un champ. Pour cela, il suffit de procéder exactement comme dans le cas d'une feuille de données.

Il est possible de supprimer l'affichage d'un champ servant pour un critère de sélection en cliquant dans la case à cocher se trouvant sur la ligne *Afficher* de la colonne correspondante.

Création d'une requête utilisant une relation

La requête que nous avons créée précédemment était basée sur une table. Une requête peut également être basée sur plusieurs tables. Il n'est pas nécessaire que les tables soient liées par une relation avant de créer la requête. Il est en effet possible de créer une *ligne de jointure* dans la requête. Pour commencer, nous allons créer une requête permettant de consulter les encours des clients. Procédez de la façon suivante :

1. Créez une nouvelle requête vierge.

2. Sélectionnez *Clients* et cliquez sur *Ajouter*.

3. Sélectionnez *Encours* et cliquez sur *Ajouter*.

4. Cliquez sur *Fermer*. Notez que les deux tables sont connectées par une ligne reliant leurs champs *NumClient*. Cette ligne est appelée *ligne de jointure*. Vous pouvez la supprimer en la sélectionnant (en cliquant dessus) et en tapant la touche SUPPR ou en utilisant l'option *Supprimer* du menu *Edition*.

5. Supprimez la ligne de jointure. (Notez que lorsque vous cliquez dessus elle est affichée en gras.)

Nous allons, à titre d'exercice, recréer la ligne de jointure que nous venons de supprimer. Notez que la suppression d'une ligne de jointure entre deux tables dans une requête ne supprime pas la relation existant entre ces tables. De la même façon, la création d'une ligne de jointure est locale à la requête et ne crée pas de relation.

6. Cliquez sur le champ *NumClient* de la table *Clients* et maintenez le bouton de la souris enfoncé.

7. Faites glisser le champ sur le champ correspondant de la table *Encours*.

8. Relâchez le bouton.

Nous allons à présent rétablir la relation entre les tables :

1. Sélectionnez la table *Encours* et supprimez-la en tapant la touche SUPPR ou en choisissant *Enlever la table* dans le menu *Requête*.

2. Ajoutez de nouveau la table *Encours* au moyen de l'article *Ajouter une table* du menu *Requête*. Access rétablit automatiquement la jointure entre les deux tables.

Nous allons maintenant remplir la grille d'interrogation comme dans l'exemple précédent :

1. Dans la première colonne, placez le champ *Société* (table *Clients*).

2. Dans la deuxième colonne, placez le champ *Contact* (table *Clients*).

3. Dans la troisième colonne, placez le champ *Téléphone* (table *Clients*).

4. Dans la quatrième colonne, placez le champ *Encours* (table *Encours*).

5. Sur la ligne *Tri*, dans la colonne *Encours*, sélectionnez *Décroissant*. La Figure 6.6 montre les critères de la requête.

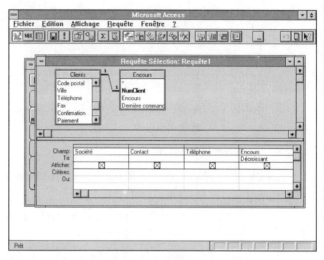

Figure 6.6 : La grille d'interrogation.

6. Exécutez la requête par un des moyens précédemment utilisés (bouton *Feuille de données* ou option *Exécuter* du menu *Requête*). Vous pouvez également employer le bouton d'exécution :

Dans le cas d'une requête de type *sélection*, l'affichage en mode *feuille de données* et l'exécution sont équivalents, puisque le rôle de la requête est d'afficher les enregistrements sélectionnés. Il en est de même pour les requêtes de type *analyse croisée*, mais pas pour celles de type *action*.

La Figure 6.7 montre la feuille de réponses dynamique obtenue.

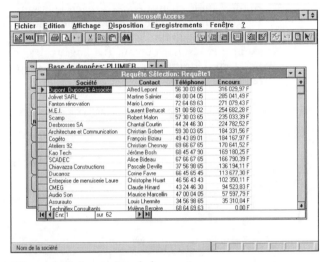

Figure 6.7 : Le résultat de la requête.

Fermez la requête sans l'enregistrer. Nous allons maintenant la recréer en utilisant une autre méthode. La structure de la requête précédente montre qu'elle utilisait tous les champs de la requête *Répertoire clients* plus le champ *Encours*. Cette constatation nous permet d'accélérer la création. Procédez de la façon suivante :

1. Ouvrez la requête *Répertoire clients* en mode modification.

2. Supprimez la colonne *Ville* en cliquant dans son en-tête pour la sélectionner, puis en tapant la touche SUPPR.

3. Supprimez les critères de la colonne *Encours maximal*.

4. Ajoutez-lui le champ *NumClient* en le faisant glisser dans la première colonne. Une colonne est ainsi insérée avant la première. La Figure 6.8 montre le résultat obtenu. (La largeur des colonnes a été réduite en procédant comme pour une feuille de données.)

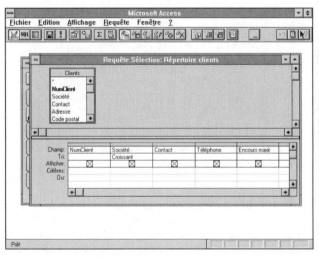

Figure 6.8 : Le champ NumClient *a été ajouté à la requête* Répertoire clients.

5. Enregistrez la modification et fermez la requête. Nous avons ainsi reconstitué la requête *Répertoire clients*.

6. Créez une nouvelle requête vierge.

7. Dans la boîte de dialogue affichée, cliquez sur *Les deux* dans la zone *Afficher*. La boîte de dialogue affiche les tables et les requêtes.

8. Sélectionnez la requête *Répertoire clients* et cliquez sur *Ajouter*.

9. Sélectionnez la table *Encours* et cliquez sur *Ajouter*.

10. Cliquez sur *Fermer*. La table et la requête sont affichées. Une ligne de jointure est automatiquement indiquée entre les deux.

11. Vous pouvez constater que la liste des champs de chaque table ou requête est précédée d'un astérisque. L'astérisque désigne l'ensemble des champs. Faites glisser l'astérisque de la requête *Répertoire clients* dans la ligne *Champ* de la première colonne de la grille d'interrogation.

12. Faites glisser le champ *Encours* de la table *Encours* dans la deuxième colonne.

13. Dans la ligne *Tri* de la deuxième colonne, sélectionnez l'ordre *Décroissant*. La Figure 6.9 montre la grille d'interrogation.

Si vous exécutez la requête, vous obtenez le même résultat que précédemment (avec l'affichage du numéro et de l'encours maximal en plus).

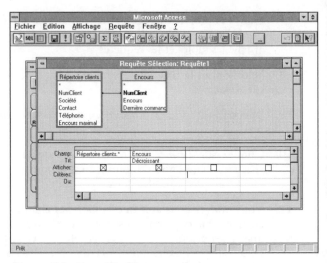

Figure 6.9 : La grille d'interrogation.

Effectuer des calculs dans les requêtes

Il est également possible d'effectuer des opérations dans les requêtes. A titre d'exemple, nous allons créer une requête permettant d'afficher la liste des clients dont l'encours dépasse le maximum autorisé. Nous utiliserons pour cela une requête intermédiaire. En effet, pour le chapitre suivant, nous aurons besoin d'une requête contenant tous les champs des tables *Clients* et *Encours* ainsi que la différence (appelée *Solde*) entre l'encours maximal et l'encours réel afin de créer un formulaire de saisie. Nous allons donc créer cette requête, que nous appellerons *Saisie clients*. Nous créerons ensuite une seconde requête basée sur la première et qui sélectionnera les clients ayant un solde négatif. Nous l'appellerons *Clients en dépassement*. Procédez de la façon suivante :

1. Fermez la requête précédente sans l'enregistrer.

2. Créez une nouvelle requête utilisant les tables *Clients* et *Encours*.

3. Faites glisser l'astérisque de la table *Clients* dans la première colonne de la ligne *Champ* de la grille d'interrogation.

4. Faites glisser l'astérisque de la table *Encours* dans la deuxième colonne de la ligne *Champ*.

5. Dans la troisième colonne de la ligne *Champ*, tapez la formule :

   Solde: [Encours maximal]-[Encours]

6. Enregistrez la requête sous le nom **Saisie clients**.

Création de la requête de consultation des soldes

Pour créer la requête *Clients en dépassement*, procédez de la façon suivante :

1. Créez une nouvelle requête vierge.

2. Dans la boîte de dialogue *Ajouter une table*, sélectionnez la requête *Saisie clients*.

3. Dans la première colonne, placez le champ *Société*.

4. Dans la deuxième colonne, placez le champ *Contact*.

5. Dans la troisième colonne, placez le champ *Téléphone*.

6. Dans la quatrième colonne, placez le champ *Encours maximal*.

7. Dans la cinquième colonne, placez le champ *Encours*.

8. Dans la sixième colonne, placez le champ *Solde*.

9. Dans la ligne *Tri* de la sixième colonne, sélectionnez l'option *Décroissant*.

10. Dans la ligne *Critères* de la sixième colonne, tapez :

    < 0

11. Exécutez la requête. La Figure 6.10 montre le résultat obtenu.

12. Enregistrez la requête sous le nom **Clients en dépassement**.

Les requêtes analyse croisée

Les requêtes que nous avons créées jusqu'ici étaient de type *sélection*. Elles permettaient de sélectionner des enregistrements selon un ou plusieurs critères, de les trier et d'effectuer des calculs. Les requêtes de type *analyse croisée* permettent d'obtenir une présentation différente des données.

Les applications des requêtes analyse croisée sont multiples : ventes par produit et par pays, vente par mois et par représentant, etc.

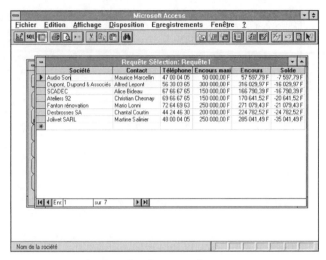

Figure 6.10 : La liste des clients en dépassement.

Nous allons créer une requête analyse croisée pour connaître le prix moyen des articles par catégorie et par fournisseur, comme indiqué sur la Figure 6.11. Pour créer une analyse croisée, il faut spécifier au moins un champ pour les lignes (ici, les fournisseurs), un seul champ pour les colonnes (les catégories) et un seul champ pour les valeurs (la moyenne des prix). Vous pouvez spécifier des champs lignes supplémentaires.

Pour créer l'exemple de la Figure 6.11, procédez ainsi :

1. Créez une nouvelle requête basée sur les tables *Articles* et *Fournisseurs* et sélectionnez *Analyse croisée* dans le menu *Requête*.

2. Dans la première colonne de la ligne *Champ*, placez le champ *Société*. Ce champ sera employé pour les lignes.

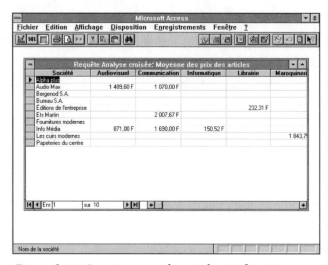

Figure 6.11 : Le prix moyen des articles par fournisseur et par catégorie.

3. Dans la deuxième colonne, placez le champ *Catégorie*. Ce champ sera employé pour les colonnes.

4. Dans la troisième colonne, placez le champ *Prix*. Ce champ sera employé pour calculer les valeurs.

Dans une requête analyse croisée, une opération doit être spécifiée pour chaque champ. De plus, l'opération doit être *Regroupement* pour le champ colonne et pour un champ ligne au moins.

5. Pour le champ *Société*, choisissez *Regroupement* pour la ligne *Opération* et *Ligne* pour la ligne *Analyse*.

6. Pour le champ *Catégorie*, choisissez *Regroupement* et *Colonne*.

7. Pour le champ *Prix*, choisissez l'opération *Moyenne* et l'option d'analyse *Valeur*. La Figure 6.12 montre la requête complète.

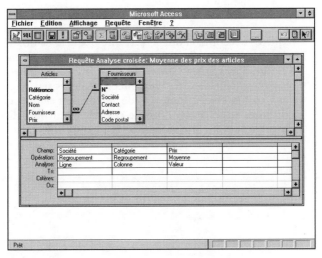

Figure 6.12 : La requête d'analyse croisée.

8. Exécutez la requête, puis enregistrez-la sous le nom **Moyenne des prix des articles**.

Les requêtes action

Comme leur nom l'indique, les requêtes action sont des requêtes permettant non seulement de sélectionner des enregistrements, mais également d'effectuer des actions en se servant des enregistrements sélectionnés. Elles sont de quatre types :

- Création de table.

- Ajout.

- Suppression.

- Mise à jour.

Lorsque vous créez une requête, il s'agit par défaut d'une requête sélection. Pour créer une requête d'un autre type, vous devez sélectionner le type choisi dans le menu *Requête*. Les types *création de table* et *ajout* permettent respectivement de placer les enregistrements sélectionnés dans une nouvelle table ou de les ajouter à une table existante. La sélection d'un de ces types provoque l'affichage de la boîte de dialogue de la Figure 6.13.

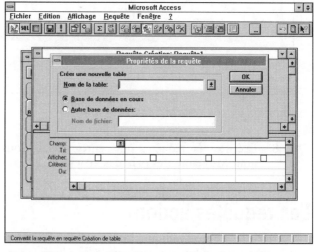

Figure 6.13 : Création d'une requête de type création de table *ou* ajout.

Dans cette boîte de dialogue, vous pouvez indiquer le nom de la table dans laquelle les enregistrements sélectionnés doivent être placés. Cette table peut se trouver dans la base de données en cours d'utilisation ou dans une autre base de données.

Exemple de requête mise à jour

Nous allons créer une requête *mise à jour* pour répercuter une augmentation de 10 % de tous les produits des catégories *Librairie* et *Informatique*. Procédez de la façon suivante :

1. Créez une nouvelle requête basée sur la table *Articles*.

2. Déroulez le menu *Requête* et sélectionnez *Mise à jour*.

3. Sélectionnez les champs *Catégorie*, *Nom* et *Prix*.

Seuls les champs servant de critères (*Catégorie*) et ceux devant être mis à jour (*Prix*) sont obligatoires. Nous avons ajouté le champ *Nom* afin de pouvoir contrôler la requête avant de l'exécuter.

4. Dans la ligne *Critères* du champ *Catégorie*, tapez :

   "Librairie" ou "Informatique"

5. Dans la ligne *Mise à jour* du champ *Prix*, tapez la formule :

   ent([Prix]*11)/10

   Cette formule augmente le prix de 10 % et l'arrondit aux dizaines de centimes.

Les requêtes *action* effectuent des modifications définiti-
ves et parfois dangereuses dans vos tables (en particulier
les requêtes *suppression*). Il est indispensable de les vérifier en mode *sélection* avant de les exécuter.

6. Déroulez le menu *Requête* et cliquez sur *Sélection*.
   La ligne *Mise à jour* disparaît de la grille d'interrogation.

7. Exécutez la requête. Vous devez obtenir le résultat
   de la Figure 6.14. Vérifiez que le résultat obtenu
   correspond bien au but recherché (les articles des
   catégories *Librairie* et *Informatique*).

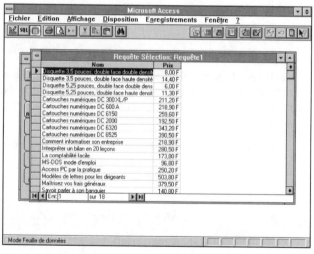

Figure 6.14 : Vérification de la requête en mode sélection.

8. Passez de nouveau en mode *création*.

9. Déroulez le menu *Requête* et cliquez sur *Mise à jour*. La ligne *Mise à jour* réapparaît avec votre formule.

10. Exécutez la requête. (Vous ne pouvez pas le faire en cliquant sur le bouton *Feuille de données*. Vous devez employer le bouton *Exécution*, comportant un point d'exclamation.) Access affiche un message vous avertissant que dix-huit lignes vont être mises à jour.

11. Cliquez sur *OK*. Access effectue la mise à jour.

12. Pour vérifier le résultat, déroulez le menu *Requête* et cliquez sur *Sélection*.

13. Exécutez la requête. Vous devez obtenir l'affichage de la Figure 6.15. Vous pouvez constater que les prix ne sont pas au bon format. Nous allons leur attribuer un format à deux décimales.

14. Affichez la requête en mode *création*.

15. Cliquez dans la colonne *Prix*.

16. Déroulez le menu *Affichage* et cliquez sur *Propriétés*. La fenêtre *Propriétés des champs* est affichée.

17. Cliquez dans la ligne *Format*. Un bouton de liste déroulante est affiché à droite de cette ligne.

18. Cliquez sur ce bouton et sélectionnez le format *Monétaire* (Figure 6.16).

19. Exécutez la requête. Cette fois, le format est correct.

20. Affichez la requête en mode *création*.

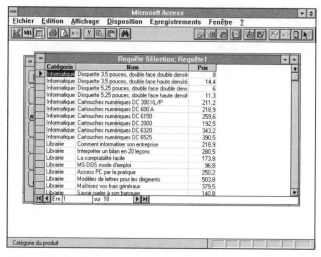

Figure 6.15 : Les prix mis à jour.

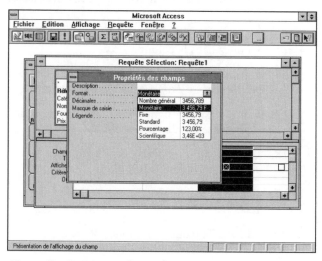

Figure 6.16 : Mise en forme d'un champ d'une requête.

21. Sélectionnez *Mise à jour* dans le menu *Requête* et enregistrez la requête sous le nom **Mise à jour des prix**, puis fermez-la.

Attention : Si vous enregistrez la requête en mode *sélection*, la formule de mise à jour sera perdue. En revanche, si vous l'enregistrez en mode *mise à jour*, cliquer deux fois sur son nom ou une fois sur le bouton *Ouvrir* provoquera son exécution ainsi qu'une nouvelle mise à jour des enregistrements, ce qui n'est certainement pas souhaité dans l'immédiat. (Vous pouvez l'ouvrir sans risque en cliquant sur le bouton *Modifier*.) Ce danger est signalé dans la liste des requêtes par un point d'exclamation précédant le nom des requêtes *action* (Figure 6.17). Notez également que la requête *analyse croisée* que nous avons créée à la section précédente est aussi signalée par une icône particulière.

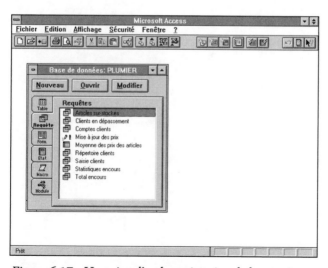

Figure 6.17 : Un point d'exclamation signale les requêtes action, *dont l'ouverture est dangereuse.*

Ce chapitre est maintenant terminé. Nous n'avons pas pu aborder tous les détails de l'utilisation des requêtes et il resterait encore bien des choses à dire. Vous en connaissez cependant les aspects les plus importants. Le prochain chapitre sera consacré aux formulaires, ce qui nous permettra d'exploiter plus efficacement les tables et les requêtes que nous avons créées jusqu'ici.

Utiliser les formulaires

L'organisation des données en lignes et en colonnes n'est pas la plus pratique. Si elle offre l'avantage de présenter plusieurs enregistrements simultanément, en revanche, dans de nombreuses occasions, cette disposition est peu pratique. En effet, si l'on donne aux colonnes une largeur suffisante pour afficher la totalité de leur contenu, les données dépassent de beaucoup la largeur de l'écran. Par ailleurs, la consultation de données sous forme tabulaire fatigue rapidement les yeux et est propice aux erreurs de lecture.

La solution à ces problèmes consiste à utiliser des *formulaires*. Un formulaire peut non seulement rendre la consultation des données plus agréable, mais également faciliter et sécuriser la saisie, par exemple en proposant un choix de valeurs dans une liste, en fournissant une valeur par défaut ou en contrôlant la validité des données entrées.

Création d'un formulaire à l'aide de l'assistant

Avec les bases de données traditionnelles, la création de formulaires demandait de longues heures de programmation et de mise au point. Microsoft Access rend cette tâche extrêmement facile grâce à la présence d'un *assistant*.

Pour créer un formulaire pour la table *Clients*, procédez de la façon suivante :

1. Chargez Access.

2. Ouvrez la base de données *Plumier*.

3. Cliquez sur le bouton *Form*.

4. Cliquez sur *Nouveau*.

Vous pouvez également dérouler le menu *Fichier* et sélectionner *Nouveau*, puis cliquer sur *Formulaire* dans le sous-menu affiché :

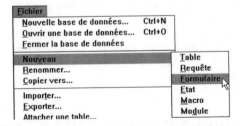

ou encore cliquer sur le bouton *Nouveau formulaire,* dans la barre d'outils :

Nouveau formulaire

- La boîte de dialogue de la Figure 7.1 est affichée. Elle vous permet de choisir la table (ou la requête) à laquelle le formulaire sera lié puis de créer un formulaire de A à Z ou d'utiliser les services de l'assistant formulaire.

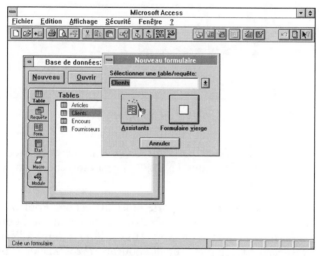

Figure 7.1 : Création d'un formulaire.

5. Si cela n'est déjà fait, sélectionnez la table *Clients* dans la liste déroulante en cliquant sur le bouton affiché à sa droite.

6. Cliquez sur le bouton *Assistants*. La boîte de dialogue de la Figure 7.2 est affichée.

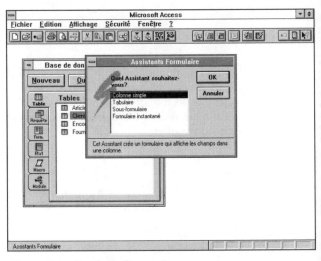

Figure 7.2 : Le choix d'un assistant.

7. Choisissez l'assistant *Colonne simple* et cliquez sur *OK* ou tapez ENTREE. L'assistant choisi est affiché.

Chaque assistant comporte plusieurs écrans. Pour passer à l'écran suivant, il vous suffit de cliquer sur le bouton correspondant ou de taper ALT+S. Pour revenir à l'écran précédent, cliquez sur le bouton *Précédent* ou tapez ALT+P. Vous pouvez également passer directement au premier ou au dernier écran, ou annuler l'opération.

Il nous faut maintenant indiquer les champs que nous voulons inclure dans le formulaire. Ce formulaire devant servir à la saisie, il contiendra tous les champs. Procédez de la façon suivante :

1. Cliquez sur le bouton correspondant à la sélection de tous les champs.

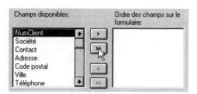

2. Cliquez sur *Suivant*.

Le deuxième écran de l'assistant est maintenant affiché. Il va nous permettre de choisir une présentation pour notre formulaire.

1. Sélectionnez la présentation *Enfoncé*.

2. Passez à l'écran suivant.

3. Conservez le nom proposé pour le formulaire, *Clients*.

4. Sélectionnez *Ouvrir le formulaire avec les données* puis cliquez sur *Terminer*. Le formulaire est maintenant affiché (Figure 7.3).

Comme vous pouvez le voir, nous avons obtenu sans effort un formulaire d'une excellente présentation.

Nous aurions pu obtenir le même résultat plus rapidement en sélectionnant l'option *Formulaire instantané*. La méthode que nous avons suivie n'avait pour but que de vous préparer à la création de formulaires plus complexes.

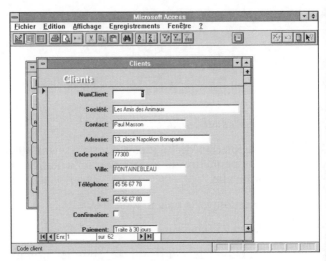

Figure 7.3 : Le formulaire créé.

Utilisation d'un formulaire pour consulter une table

La particularité d'un formulaire est qu'il affiche un enregistrement à la fois. Vous pouvez cependant à tout moment passer à l'affichage en mode *feuille de données*. Pour cela, cliquez sur le troisième bouton de la barre d'outils.

Pour passer de nouveau en mode *formulaire*, cliquez sur le deuxième bouton.

La consultation des données en mode *formulaire* est très simple. Au bas de la fenêtre, vous pouvez constater la présence du sélecteur d'enregistrements. Il fonctionne exactement de la même façon qu'en mode *feuille de données*. Vous pouvez également employer l'option *Atteindre* du menu *Enregistrements*.

Les commandes permettant de faire défiler les enregistrements à partir du clavier sont légèrement différentes en raison de la différence de structure entre un formulaire et une feuille de données.

Touches	*Fonction*
DROITE ou BAS	Champ suivant (en mode *formulaire*).
GAUCHE ou HAUT	Champ précédent (en mode *formulaire*).
PG.SUIV	En l'absence de barre de défilement verticale, enregistrement suivant. Dans le cas contraire, défilement vers le bas, puis enregistrement suivant.
PG.PREC	En l'absence de barre de défilement verticale, enregistrement précédent. Dans le cas contraire, défilement

Touches	*Fonction*
	vers le haut, puis enregistrement précédent.
ORIGINE	Premier champ de l'enregistrement courant.
FIN	Dernier champ de l'enregistrement courant.
CTRL+ORIGINE	Premier champ du premier enregistrement.
CTRL+FIN	Dernier champ du dernier enregistrement.
F2	Alterne entre le mode consultation et le mode édition.
MAJ+F2	Zoom.
F5	Active le sélecteur de champ et permet de taper le numéro du champ à atteindre.
F7	Affiche la boîte de dialogue de recherche d'un enregistrement.

La recherche d'enregistrements prend, avec les formulaires, une importance accrue, car il est plus difficile de visualiser les enregistrements en les faisant défiler. Un bouton de la barre d'outils permet d'accéder à cette fonction. Il porte une icône représentant une paire de jumelles.

Enregistrement du formulaire

Avant d'utiliser notre formulaire, il est prudent de l'enregistrer. Pour cela, utilisez l'option *Enregistrer le formulaire* du menu *Fichier*. Dans la boîte de dialogue affichée, tapez le nom du formulaire, **Saisie clients**, et cliquez sur *OK*.

Ajouter des enregistrements à l'aide d'un formulaire

Le formulaire permet, bien entendu, de saisir de nouveaux enregistrements. Pour cela, vous pouvez utiliser l'option *Nouveau* du sous-menu de l'option *Atteindre* du menu *Enregistrements*. Vous pouvez également aller au dernier enregistrement, puis au suivant. Un enregistrement vierge est affiché ; commencez alors la saisie.

Une autre façon de procéder consiste à employer l'option *Ajout* du menu *Enregistrements*. Cette option permet de saisir des enregistrements en les gardant groupés jusqu'à la validation de la saisie. Le premier enregistrement saisi porte le numéro 1 et se comporte comme le premier de la table. Les commandes de défilement n'affichent que les enregistrements nouvellement saisis. De cette façon, vous pouvez, une fois la saisie terminée, relire facilement votre travail pour le contrôler.

Cette technique n'apporte pas une amélioration importante lorsque le champ clé primaire est un compteur. En effet, dans ce cas, les nouveaux enregistrements sont groupés à la fin de la table.

En revanche, si la table était indexée sur le nom des clients ou sur un code alphabétique dérivé du nom, comme cela est souvent le cas, chaque enregistrement saisi serait immédiatement classé à sa position en fonction de l'ordre alphabétique. Il serait donc pénible de rechercher un par un les enregistrements saisis pour les contrôler.

Si vous utilisez la fonction *Ajout*, vous pouvez revenir à l'affichage normal, lorsque la saisie est terminée et contrôlée, à l'aide de l'option *Afficher tous les enregistrements* du menu *Enregistrements*.

Chaque enregistrement saisi est enregistré automatiquement lorsque vous passez au suivant. Si vous souhaitez enregistrer la saisie sans passer à l'enregistrement suivant, employez l'option *Sauvegarder l'enregistrement* du menu *Fichier* ou tapez la touche F9.

Suppression d'enregistrements à l'aide d'un formulaire

Pour supprimer un enregistrement en mode *formulaire*, il vous faut d'abord le sélectionner. Pour cela, vous devez procéder de façon différente selon que vous voulez employer le clavier ou la souris.

Affichez l'enregistrement et cliquez dans la barre de sélection (barre verticale grise) située du côté gauche de la fenêtre. La barre de sélection prend une couleur plus foncée. Vous pouvez obtenir le même résultat en tapant CTRL+MAJ+ESPACE. Un enregistrement sélectionné peut être supprimé, coupé ou copié de la même façon qu'en mode *feuille de données*.

Modification d'un formulaire

Pour pouvoir modifier les éléments d'un formulaire, vous devez l'afficher en mode *création*. Pour cela, cliquez sur le bouton correspondant.

Pour passer de nouveau en mode *formulaire*, cliquez sur le deuxième bouton.

Passez en mode *création*. Nous allons maintenant raccourcir la zone *NumClient*. Procédez de la façon suivante :

Cliquez dans la zone *NumClient* (sur fond blanc). Faites attention à ne pas déplacer la souris pendant que vous cliquez. Dans le cas contraire, la zone peut se trouver déplacée. Si c'est le cas, ou si vous faites une modification quelconque à votre formulaire par erreur, annulez immédiatement l'opération en utilisant l'option *Annuler* du menu *Edition*.

L'ensemble de la zone *NumClient* est maintenant sélectionné, comme l'indiquent les carrés de couleur qui sont affichés tout autour.

Dans la terminologie d'Access, cet ensemble est appelé *contrôle*. Les objets placés sur un formulaire et déterminant son comportement sont des *contrôles*.

Si vous placez le pointeur sur la zone sélectionnée, il peut prendre quatre aspects différents :

Pointeur texte

Le pointeur texte est affiché sur la zone comportant le nom du champ ou sur son étiquette. A titre d'exemple, remplacez l'étiquette *NumClient* par *N°*.

Pointeur main

Le pointeur main s'affiche sur le contour de la zone. Il permet de déplacer la zone complète avec son étiquette. Pour cela, il vous suffit de la faire glisser en maintenant le bouton de la souris enfoncé.

Pointeur doigt

Le pointeur doigt s'affiche sur le carré de plus grandes dimensions situé dans l'angle supérieur gauche de la zone de texte ou de son étiquette. Il permet de modifier chacun des éléments séparément.

Pointeurs flèches   Les pointeurs flèches s'affichent
                       sur les carrés situés dans les autres
                       angles et au milieu des côtés. Ils
                       permettent de modifier les dimen-
                       sions des contrôles.

Pour réduire la largeur de la zone *NumClient*, procédez
de la façon suivante :

1. Placez le pointeur sur le point situé au milieu du
    côté droit de la zone, pressez le bouton de la sou-
    ris et maintenez-le enfoncé.

2. Faites glisser le pointeur vers la gauche jusqu'à la
    position souhaitée.

3. Relâchez le bouton de la souris.

Si le champ change de hauteur pendant que vous modifiez sa largeur et que vous ne parvenez pas à lui rendre sa
hauteur d'origine, déroulez le menu *Disposition* et vérifiez si l'option *Aligner sur la grille* est active. Si c'est le
cas, désactivez-la.

Vous pouvez, de la même façon, déplacer un champ à
l'aide du pointeur main. Sélectionnez le champ *Société*
avec son étiquette et faites-le glisser à côté du champ
NumClient, comme indiqué sur la Figure 7.4.

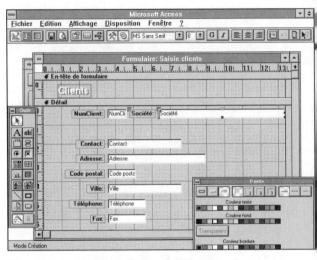

Figure 7.4 : Le champ Société *déplacé.*

La largeur du formulaire augmente automatiquement
pour s'adapter aux modifications, mais pas celle de la
fenêtre qui le contient. (En revanche, si vous fermez le
formulaire et que vous l'ouvrez de nouveau, la fenêtre
aura automatiquement la largeur adéquate.) Ajustez
donc la largeur de la fenêtre comme indiqué sur la figure.

Utilisation de la grille

Vous avez certainement constaté qu'il est très difficile de
positionner les éléments au pixel près sur l'écran en les
faisant glisser. Pour obtenir un formulaire d'un aspect
correct, il est cependant indispensable que tous les contrôles contenant du texte aient la même hauteur, et que
certains contrôles soient alignés.

Pour nous aider à aligner les contrôles, nous pouvons utiliser la grille. Il s'agit d'une grille composée de lignes et de points sur laquelle les objets peuvent être alignés automatiquement.

Par défaut, la grille est affichée. Pour le vérifier, procédez de la façon suivante :

1. Déroulez le menu *Disposition*.

2. Vérifiez que l'option *Aligner sur la grille* est cochée.

Lorsque la grille est active, les objets se déplacent par incréments, ce qui facilite beaucoup les alignements.

Si vous avez créé un formulaire à l'aide d'un assistant, vous ne pouvez pas utiliser la grille pour ajuster la hauteur des contrôles car l'assistant ne tient pas compte de la grille. Si vous le faites, vous verrez la hauteur des contrôles se modifier de façon aléatoire pendant que vous ferez varier la longueur. Pour tirer parti de la grille dans ce cas, vous devez d'abord ajuster la position des éléments (comme indiqué plus loin) avant d'ajuster leur hauteur.

Suppression de l'affichage de la grille

Si vous le souhaitez, vous pouvez supprimer l'affichage de la grille en procédant de la façon suivante :

1. Déroulez le menu *Affichage*.

2. Cliquez sur *Grille*.

Vous pouvez également choisir de supprimer l'affichage de la grille par défaut en utilisant la commande *Options* du menu *Affichage* et en choisissant la catégorie *Création de formulaire/d'état* dans la boîte de dialogue affichée.

Ajustage des objets sur la grille

L'alignement sur la grille concerne la position des objets que vous déplacez. Au moment où vous relâchez le bouton de la souris, le point de contrôle se déplace jusqu'à l'intersection de la grille la plus proche.

Vous pouvez également obtenir une modification automatique des dimensions des objets en choisissant l'option *Ajuster à la grille*. Procédez de la façon suivante :

1. Sélectionnez le champ *Adresse*.

2. Déroulez le menu *Disposition*.

3. Sélectionnez l'option *Ajuster*.

4. Dans le sous-menu affiché, sélectionnez *A la grille*. La longueur et la hauteur du contrôle sont automatiquement ajustées.

5. Annulez l'opération à l'aide du menu *Edition* ou en tapant CTRL+Z.

Ajuster un contrôle à son contenu

Vous pouvez modifier automatiquement la hauteur d'un contrôle en fonction de son contenu, en procédant de la façon suivante :

1. Sélectionnez un contrôle.

2. Déroulez le menu *Disposition*.

3. Sélectionnez l'option *Ajuster*.

4. Dans le sous-menu affiché, sélectionnez *Au contenu*.

Aligner les contrôles

La position exacte des contrôles est en général beaucoup
moins importante que leur alignement. C'est pourquoi
Access possède une commande permettant d'aligner
automatiquement les contrôles entre eux. Pour aligner
les champs *NumClient, Société, Contact* et *Adresse*
comme indiqué sur la Figure 7.5, procédez de la façon
suivante :

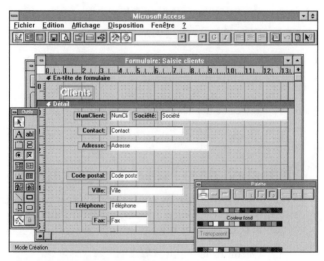

Figure 7.5 : Les champs alignés.

1. Sélectionnez les champs *NumClient* et *Société* avec
   leurs étiquettes. Pour sélectionner plusieurs contrôles, cliquez sur le premier, puis maintenez la
   touche MAJ enfoncée et cliquez sur les suivants.
   Vous pouvez également tracer un rectangle de sélection autour des objets en maintenant le bouton
   de la souris enfoncé. Tous les objets se trouvant

partiellement à l'intérieur du rectangle de sélection sont sélectionnés. Il s'agit d'une option par défaut d'Access.

2. Déroulez le menu *Disposition*.

3. Cliquez sur *Aligner*.

4. Dans le sous-menu affiché, cliquez sur *Haut*.

5. Sélectionnez les champs *NumClient, Contact* et *Adresse* sans leurs étiquettes.

6. Déroulez le menu *Disposition*.

7. Cliquez sur *Aligner*.

8. Dans le sous-menu affiché, cliquez sur *Gauche*.

9. Sélectionnez les étiquettes des champs.

10. Alignez-les à droite.

Utilisation de la liste des propriétés

Vous pouvez modifier les contrôles de façon plus précise en utilisant la fenêtre des propriétés. Pour l'afficher, procédez de la façon suivante :

1. Déroulez le menu *Affichage*.

2. Cliquez sur l'option *Propriétés*. La liste des propriétés de l'objet sélectionné est affichée. Si aucun objet n'est affiché, Access affiche les propriétés du formulaire ou de la section. La Figure 7.6 montre les propriétés du champ *Adresse*.

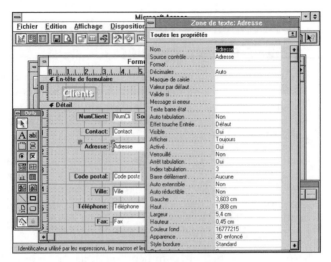

Figure 7.6 : Les propriétés du champ Adresse.

Pour afficher les propriétés d'un autre objet, il suffit de le sélectionner.

Le formulaire est composé de une à trois sections. Il s'agit de la section *Détail*, contenant les contrôles, et des sections optionnelles *En-tête de formulaire* et *Pied de formulaire*. Chaque section est précédée d'une barre portant son nom. Pour sélectionner une section, il suffit de cliquer dedans ou dans sa barre de titre. Il est également possible de redimensionner une section en faisant glisser sa barre de titre. Pour sélectionner la totalité du formulaire, par exemple pour afficher ses propriétés, utilisez l'option *Sélectionner le formulaire* du menu *Edition*.

Positionnement d'un contrôle à l'aide de la liste des propriétés

Pour modifier la position ou les dimensions d'un contrôle, il suffit de taper les valeurs souhaitées dans les champs *Gauche, Haut* (pour la position de l'angle supérieur gauche), *Largeur* et *Hauteur*. Cette solution est la plus précise et permet d'obtenir des positions exactes.

En faisant défiler la liste des propriétés vers le bas, vous pouvez constater qu'il s'y trouve des options permettant de définir tous les aspects des contrôles : apparence, couleur de fond, style, couleur et épaisseur de bordure, couleur de texte, police, taille, épaisseur et style des caractères, alignement du texte, etc.

Vous savez à présent comment modifier la taille et la position des contrôles. Utilisez la méthode que vous préférez pour obtenir le résultat de la Figure 7.7.

En utilisant ce formulaire, vous constaterez plusieurs problèmes. Le plus important est que nous ne pouvons pas saisir les encours et les dates de dernière commande, car ils figurent dans une autre table. Un autre problème concerne la saisie des conditions de paiement. Il est pénible d'avoir à les taper en toutes lettres alors qu'il serait si pratique de les choisir dans une liste. Nous allons remédier à ces problèmes.

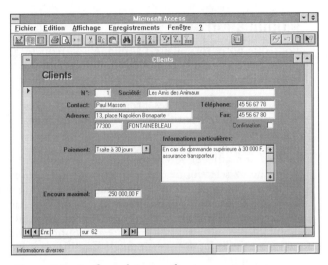

Figure 7.7 : Le formulaire amélioré.

Création d'un formulaire basé sur plusieurs tables

Il est parfaitement possible de créer un formulaire regroupant les données de plusieurs tables. Il suffit de créer une requête rassemblant les champs des tables à utiliser, puis un formulaire basé sur cette requête. Il n'est pas obligatoire que la totalité des champs de chaque table figure dans le formulaire. Nous allons modifier notre formulaire en ce sens. Il devra comporter tous les éléments de la table *Clients*, ainsi que ceux de la table *Encours*, à l'exception du numéro de client, celui-ci se trouvant déjà dans la première table. Il n'est pas nécessaire de créer la requête correspondante car nous l'avons déjà fait. Il s'agit de la requête *Saisie clients*.

Modification de la source

Pour que notre formulaire s'applique à la requête *Saisie clients* et non plus à la table *Clients*, il nous faut modifier la propriété *Source*. Procédez de la façon suivante :

1. Affichez la liste des propriétés, si cela n'est déjà fait, en activant l'option *Propriétés* du menu *Affichage*.

2. Pour afficher les propriétés du formulaire, vous devez sélectionner celui-ci, et non une section ou un contrôle. Faites-le en exécutant la commande *Sélectionner le formulaire* du menu *Edition*. La Figure 7.8 montre les propriétés du formulaire. Notez au passage la présence des options *Grille X* et *Grille Y* qui permettent de modifier la taille de la grille.

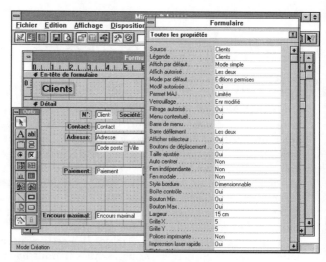

Figure 7.8 : Les propriétés du formulaire.

La première propriété est nommée *Source*. Elle indique la source des données. Pour la modifier, procédez de la façon suivante :

1. Cliquez dans la zone de texte *Source*. Un bouton est affiché à sa droite.

2. Cliquez sur ce bouton. La liste des tables et des requêtes existantes est affichée.

3. Sélectionnez *Saisie clients*.

4. Affichez le formulaire en mode *formulaire*. La zone *NumClient* contient maintenant la valeur d'erreur *#Nom?*.

Cela est dû au fait que ce contrôle fait référence au champ *NumClient*, qui n'existe pas dans la requête *Saisie clients*. En effet, cette requête contient tous les champs des tables *Clients* et *Encours*. Ces deux tables comportant des champs *NumClient*, ceux-ci ont automatiquement été renommés *Clients.NumClient* et *Encours.NumClient*. Il nous faut donc modifier le nom du contrôle.

5. Passez en mode *création*.

6. Sélectionnez le contrôle *NumClient*.

7. La liste des propriétés doit toujours être affichée. Cliquez dans la ligne *Source contrôle*.

8. Cliquez sur le bouton affiché à droite de la ligne.

9. Dans la liste des champs, sélectionnez le champ *Clients.NumClient*.

10. Passez en mode *formulaire*. Cette fois, le numéro s'affiche correctement.

Ajouter des contrôles

Nous allons ajouter deux contrôles pour les champs *Encours* et *Dernière commande* :

1. Affichez la liste des champs à l'aide de l'option *Liste des champs* du menu *Affichage*.

2. Faites défiler la liste afin de faire apparaître le champ *Encours* et placez le pointeur sur celui-ci.

3. Pressez le bouton de la souris et maintenez-le enfoncé.

4. Faites glisser le champ sur le formulaire. Le pointeur prend la forme d'un petit rectangle. Placez-le à la position de l'angle supérieur gauche du contrôle à créer (Figure 7.9).

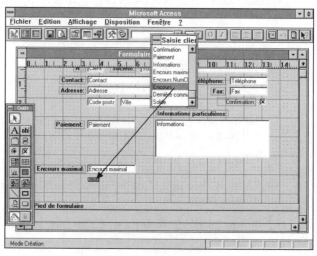

Figure 7.9 : Ajout d'un champ par "glisser-coller".

5. Relâchez le bouton de la souris. Le nouveau contrôle est créé automatiquement.

La description du champ saisie dans la table est transférée automatiquement dans la propriété *Texte barre d'état*. Elle est affichée dans la barre d'état lorsque le contrôle est sélectionné. Vous pouvez donc l'utiliser pour y placer des messages d'aide à la saisie. Ainsi, pour la zone *Encours*, vous pouvez taper, par exemple :

Saisissez dans cette zone le montant de l'encours du client

6. Ajustez la position du contrôle et de son étiquette par la méthode de votre choix.

7. Faites glisser de la même façon le champ *Dernière commande* sur le formulaire.

8. Ajustez sa position et celle de son étiquette comme indiqué sur la Figure 7.10.

Ajouter une liste déroulante

Un champ comportant une liste d'options, comme les conditions de paiement, sera avantageusement représenté par une liste dans laquelle il suffira de sélectionner la valeur choisie. Nous allons créer une telle liste.

Pour cela, nous devons d'abord supprimer le contrôle *Paiement* et son étiquette. Il est important de le faire avant de créer la liste car, dans le cas contraire, celle-ci aurait une étiquette erronée. Procédez de la façon suivante :

1. Sélectionnez le contrôle *Paiement* et effacez-le en tapant la touche SUPPR.

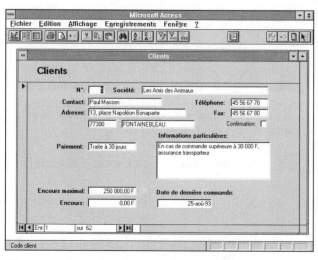

Figure 7.10 : Le champ Dernière commande *ajouté.*

2. Dans la palette, cliquez sur l'outil *Liste déroulante*. La liste des propriétés par défaut des listes modifiables est affichée (Figure 7.11).

3. Dans la liste des champs, sélectionnez le champ *Paiement* et faites-le glisser à la position souhaitée (Figure 7.12). La première page de l'assistant *Zone de liste modifiable* est affichée (Figure 7.13).

4. Sélectionnez la seconde option, permettant de saisir les valeurs de la liste, puis cliquez sur *Suivant*.

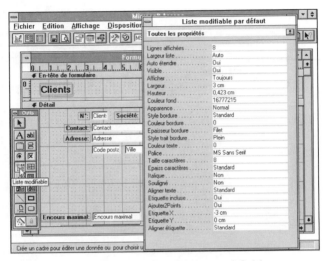

Figure 7.11 : Sélection de l'outil Liste modifiable.

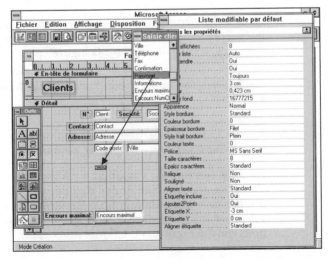

Figure 7.12 : Création de la liste par "glisser-coller".

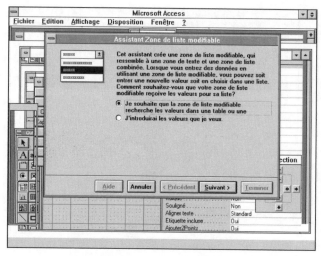

Figure 7.13 : L'assistant Zone de liste modifiable.

5. Dans la deuxième page de l'assistant, tapez **1** pour le nombre de colonnes, puis saisissez les valeurs suivantes, comme indiqué sur la Figure 7.14 :

    Chèque à réception;Traite à 30 jours;Traite à 60 jours;Traite à 90 jours

6. Ajustez la largeur de la colonne comme vous le feriez pour une table, puis cliquez sur *Suivant*.

7. La page suivante de l'assistant vous propose de choisir ce que doit faire Access lorsque vous sélectionnez une valeur dans la liste. Par défaut, cette valeur est stockée dans le champ *Paiement*, ce qui nous convient tout à fait. Cliquez sur *Suivant*.

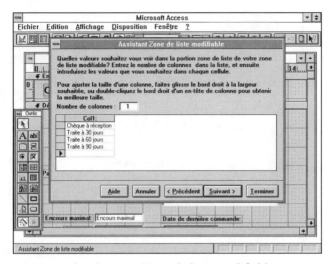

Figure 7.14 : L'assistant Zone de liste modifiable,
deuxième page.

8. La dernière page concerne le nom que vous voulez
   donner à la liste. Acceptez le nom par défaut
   (*Paiement:*) et cliquez sur *Terminer*. La Figure 7.15 montre le résultat obtenu.

9. Ajustez la position de la liste et celle de son étiquette.

10. Pour modifier l'apparence de la liste, choisissez
    3D enfoncé pour cette propriété.

11. Pour la propriété *Limiter à liste*, indiquez *Oui*.
    Ainsi, la liste modifiable devient non modifiable.
    Dans le cas contraire, la liste offrirait le choix
    parmi les options les plus courantes sans vous
    empêcher de saisir explicitement une autre valeur
    (à condition de modifier la propriété *Valide si*).

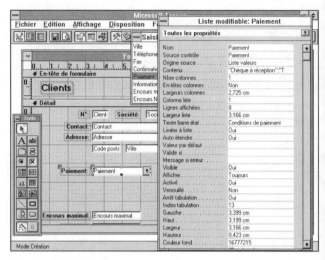

Figure 7.15 : La liste créée.

12. Passez en mode *formulaire*. La Figure 7.16 montre l'utilisation de la liste déroulante.

Ajouter un champ calculé

Notre formulaire nous permet de visualiser simultanément la valeur de l'encours du client, ainsi que la valeur maximale autorisée. Il serait plus pratique d'afficher automatiquement la différence entre les deux valeurs, et même d'afficher en rouge les soldes négatifs. Tout cela est très facile. Procédez de la façon suivante :

1. Créez une zone de texte au-dessous du champ *Encours*.

2. Pour l'étiquette, tapez **Solde:**.

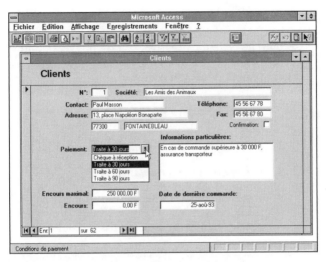

Figure 7.16 : Utilisation de la liste déroulante.

3. Affichez les propriétés de la zone de texte.

4. Pour le nom du contrôle, tapez **Solde**.

5. Pour la propriété *Source contrôle*, saisissez la formule :

   =[Encours maximal]-[Encours]

   Vous pouvez utiliser le générateur d'expressions pour saisir la formule, en cliquant sur le bouton affiché à droite de la propriété et comportant trois points.

6. Pour la propriété *Format*, tapez :

   # ##0,00 F;[Rouge]-# ##0,00 F

Nous avons ici deux formats séparés par un point-virgule. Le premier concerne les valeurs positives et le second les valeurs négatives. Vous pouvez ajouter un format pour la valeur 0 et un format pour l'absence de valeur (valeur *Null*), par exemple :

 # ##0,00 F;[Rouge]-# ##0,00 F;"Zéro";"Pas de valeur"

7. Pour la propriété *Verrouillé*, indiquez *Oui*.

8. Passez en mode *formulaire*.

9. Faites défiler les clients jusqu'à l'affichage d'un solde négatif. La Figure 7.17 montre le résultat obtenu (malheureusement pas en couleurs).

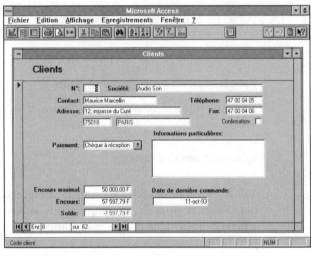

Figure 7.17 : Affichage du solde.

Utilisation de la barre d'outils

En mode *création*, la barre d'outils comporte de nombreux outils supplémentaires permettant d'accélérer la mise en forme des formulaires. En voici la liste avec une description de leur fonction :

Outil	*Fonction*
	Affiche le formulaire en mode *création*.
	Affiche le formulaire en mode *formulaire*.
	Affiche le document en mode *feuille de données*.
	Enregistre le formulaire.
	Affiche un aperçu avant impression du document.
	Ouvre ou ferme la fenêtre des propriétés.
	Ouvre ou ferme la liste des champs pouvant être utilisés.
	Affiche le code associé au formulaire.
	Affiche la boîte à outils.
	Ouvre ou ferme la palette des couleurs.
MS Sans Serif	Permet de sélectionner une police de caractères.
8	Permet de sélectionner une taille de caractères.

Outil	*Fonction*
G	Sélectionne le style *Gras*.
I	Sélectionne le style *Italique*.
≡	Sélectionne l'alignement à gauche.
≡	Sélectionne l'alignement au centre.
≡	Sélectionne l'alignement à droite.
▣	Affiche la fenêtre de la base de données.
↰	Annule la dernière opération.
▤	Affiche le Conseiller.
▶?	Affiche l'aide.

Utilisation de filtres et de tris

Notre formulaire peut maintenant servir à saisir et à consulter les clients et leurs encours. Si nous voulons sélectionner certains clients sur la base de critères précis, nous pouvons créer une requête correspondant à ces critères et l'associer au formulaire, ou créer un nouveau formulaire. Cependant, pour des consultations occasionnelles, nous pouvons utiliser les possibilités de tri et filtrage des formulaires.

Pour sélectionner, par exemple, les clients dont le solde est négatif en les classant par ordre décroissant, procédez de la façon suivante :

1. Passez en mode *formulaire*.

2. Cliquez sur le bouton de création d'un filtre.

La fenêtre de création d'un filtre est affichée. Cette fenêtre est semblable à celle employée pour les requêtes.

3. Configurez les options de tri et de sélection comme indiqué sur la Figure 7.18.

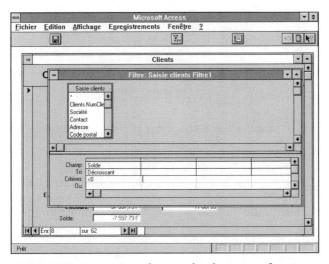

Figure 7.18 : Les options de tri et de sélection configurées.

Note : Vous pouvez charger une requête pour l'utiliser comme un filtre/tri. Vous pouvez également enregistrer le filtre/tri que vous venez de créer comme une requête (menu *Fichier*).

4. Refermez la fenêtre.

5. Pour appliquer le filtre, cliquez sur le bouton d'application.

Access sélectionne les enregistrements correspondant aux critères et les classe dans l'ordre spécifié. L'utilisation du filtre est indiquée par les lettres FILT dans la barre d'état.

Pour désactiver le filtre, il vous suffit de cliquer sur le bouton correspondant.

La désactivation n'efface pas le filtre, qui peut être activé de nouveau à tout moment.

Attention : Les filtres ne sont pas enregistrés avec les formulaires. Si vous voulez les réutiliser, enregistrez-les comme des requêtes. Si vous utilisez souvent le même filtre, faites-en une requête avec son propre formulaire.

Utilisation d'un sous-formulaire

Il existe un type particulier d'objets pouvant être placés dans un formulaire. Il s'agit des sous-formulaires.

Les sous-formulaires permettent d'afficher dans un formulaire des données venant de plusieurs tables, comme dans l'exemple précédent, mais dans le cas de relations de type *un à plusieurs*. Nous allons, à titre d'exemple, créer un formulaire affichant les fournisseurs et contenant un sous-formulaire donnant la liste des produits de chacun d'eux. Procédez de la façon suivante :

1. Affichez la fenêtre de la base de données.

2. Sélectionnez les formulaires.

3. Cliquez sur *Nouveau*.

4. Dans la boîte de dialogue affichée, sélectionnez la table *Fournisseurs*.

5. Cliquez sur le bouton *Assistants*.

6. Sélectionnez l'assistant *Sous-formulaire* et cliquez sur *OK*.

7. Sélectionnez la table *Articles* pour le sous-formulaire et cliquez sur *Suivant*.

8. Sélectionnez les champs du formulaire principal. Nous utiliserons tous les champs, mais vous pouvez procéder différemment si vous le souhaitez.

9. Cliquez sur *Suivant*. La troisième fenêtre de l'assistant est affichée.

10. Sélectionnez tous les champs sauf le champ *Fournisseur*, qui est inutile, et cliquez sur *Suivant*.

11. Sélectionnez une présentation et cliquez sur *Suivant*.

12. Dans la dernière fenêtre, tapez le nom à donner au formulaire : **Articles par fournisseur**.

13. Sélectionnez *Ouvrir le formulaire avec des données* et cliquez sur *Terminer*. Un message vous indique que le sous-formulaire doit être enregistré.

14. Cliquez sur *OK*.

15. Tapez le nom du sous-formulaire : **Sous-formulaire articles** et cliquez sur *OK*. Le formulaire est affiché. Affichez-le en mode plein écran en cliquant sur le bouton d'agrandissement, dans l'angle supérieur droit de la fenêtre. La Figure 7.19 montre le résultat obtenu.

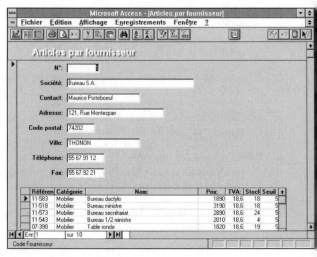

Figure 7.19 : Le formulaire Articles par fournisseur.

Vous pouvez modifier le formulaire en passant en mode *création*, comme nous l'avons vu précédemment. La Figure 7.20 montre le formulaire modifié.

Enregistrez le formulaire sous le nom **Articles par fournisseur**. Vous pouvez maintenant l'employer pour consulter la liste des articles de chaque fournisseur.

Lors de l'utilisation d'un formulaire contenant un sous-formulaire, Access affiche automatiquement la barre de défilement verticale du sous-formulaire lorsque cela est nécessaire. Le sous-formulaire peut être utilisé exactement comme une table en mode *feuille de données*. Vous pouvez modifier la largeur et l'ordre des colonnes. En revanche, vous ne pouvez ni les masquer, ni les figer.

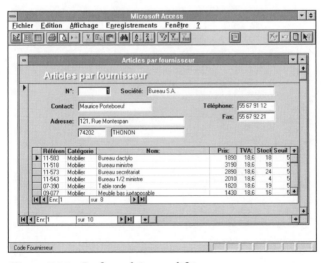

Figure 7.20 : Le formulaire modifié.

Ce chapitre était assez long, mais une grande partie de ce que nous avons appris ici nous servira au chapitre suivant pour créer des états. Nous n'avons pas pu aborder la totalité des possibilités d'Access en matière de création de formulaires, mais vous en savez assez pour résoudre la plus grande partie des problèmes qui peuvent se poser.

Présenter les données à l'aide des états

Vous savez maintenant créer une base de données comportant plusieurs tables, créer des relations entre les tables, saisir des données dans les tables et consulter les données à l'aide de formulaires et de requêtes. Il existe un autre type d'outils répondant à un besoin spécifique pour le traitement des données. Il s'agit des *états*.

Il existe plusieurs types d'états. Un état peut être employé pour créer une simple liste des enregistrements. Il peut servir de base à des regroupements et à toutes sortes de calculs. Il peut également produire des étiquettes de publipostage. Dans ce chapitre, nous créerons un exemple de chacun de ces types.

Impression d'une liste d'articles

Le premier état que nous créerons servira à imprimer la liste des articles au catalogue avec le niveau des stocks. Nous utiliserons, comme toujours, les services d'un assistant. Procédez de la façon suivante :

1. Ouvrez la base de données.

2. Dans la fenêtre de la base de données, cliquez sur le bouton *Etat*.

3. Cliquez sur *Nouveau*. Une boîte de dialogue est affichée pour vous permettre de sÉlectionner une table ou une requête.

4. Sélectionnez la table *Articles*.

5. Cliquez sur le bouton *Assistants*. La boîte de dialogue de la Figure 8.1 est affichée.

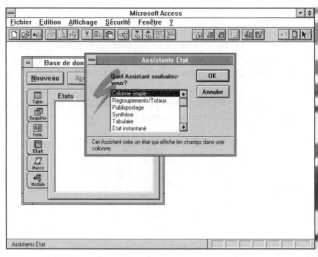

Figure 8.1 : Le choix d'un assistant.

6. Sélectionnez l'assistant *Colonne simple* et cliquez sur *OK*.

7. Sélectionnez les champs suivants :

Référence
Nom
Fournisseur
Stock
Seuil critique

Une fois les champs sélectionnés, cliquez sur *Suivant*. Vous devez maintenant indiquer les champs utilisés pour le tri (Figure 8.2).

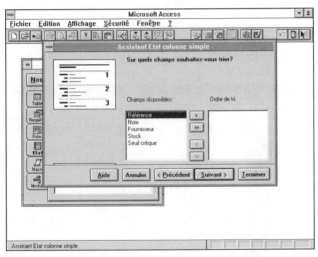

Figure 8.2 : Sélection des champs utilisés pour le tri.

Vous pouvez indiquer jusqu'à trois champs.

8. Sélectionnez les champs *Fournisseur*, puis *Référence*.

9. Cliquez sur *Suivant*.

10. Choisissez la présentation *Exécutif* et cliquez sur *Suivant*. La dernière page de l'assistant est affichée.

11. Tapez le titre **Etat des stocks**.

Un état étant fait pour être imprimé, il n'y a pas de bouton *Ouvrir*. Vous pouvez cliquer sur *Modifier* si vous souhaitez modifier l'état avant de l'utiliser. Si vous voulez le consulter immédiatement, utilisez la fonction *Aperçu avant impression*.

12. Cliquez sur *Terminer*. L'image de l'état tel qu'il sera imprimé est affichée dans une fenêtre (Figure 8.3).

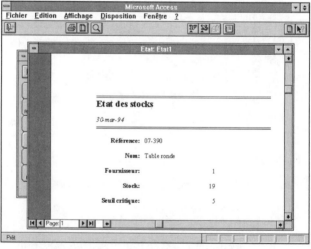

Figure 8.3 : Affichage de l'état tel qu'il sera imprimé.

Le mode *Aperçu avant impression*

La fenêtre du mode *Aperçu avant impression* comporte des barres de défilement sur les côtés droit et gauche. Vous pouvez ainsi visualiser les différentes parties de la page.

Utilisation du zoom

Si vous souhaitez visualiser la totalité de la page, vous devez utiliser la fonction zoom. Vous pouvez le faire en cliquant sur le bouton *Zoom* ou en cliquant n'importe où sur l'image de la page (notez le pointeur en forme de loupe). Le premier clic réduit l'affichage pour faire tenir la page entière dans la fenêtre. Le second clic agrandit l'affichage pour vous permettre de distinguer les détails. Si vous utilisez le pointeur loupe, l'affichage agrandi est centré autour de la position du pointeur. La Figure 8.4 montre l'affichage d'une page entière.

Utilisation du sélecteur de page

A gauche de la barre de défilement horizontale se trouve le sélecteur de page. Son utilisation est exactement identique à celle du sélecteur d'enregistrement des tables et des formulaires.

Impression de l'état

Si votre imprimante est correctement configurée, vous pouvez imprimer l'état en cliquant simplement sur le bouton *Imprimer*.

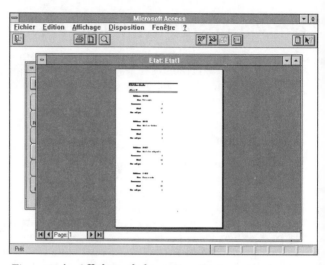

Figure 8.4 : Affichage de la page entière.

La boîte de dialogue de la Figure 8.5 est alors affichée.

En haut de la boîte de dialogue est indiqué le nom de l'imprimante qui sera utilisée pour l'impression. Si vous avez installé plusieurs imprimantes, il s'agit de l'imprimante par défaut. Vous pouvez choisir une autre imprimante en modifiant la configuration, comme nous le verrons plus loin.

La zone *Imprimer* permet de choisir d'imprimer toutes les pages, ou seulement les pages indiquées par les options *De* et *A*. L'option *Sélection* ne s'applique pas ici. Elle permet, dans d'autres cas, d'imprimer les éléments préalablement sélectionnés.

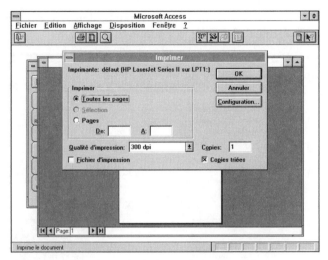

Figure 8.5 : La boîte de dialogue d'impression.

La zone *Qualité d'impression* sert à sélectionner une résolution lorsque l'imprimante utilisée en propose plusieurs. La zone *Copies* sert à indiquer le nombre de copies à imprimer. Les copies peuvent être triées ou non.

L'option *Fichier d'impression* permet d'envoyer les données dans un fichier en vue d'une impression ultérieure.

Configuration des options d'impression

La boîte de dialogue *Imprimer* comporte un bouton *Configuration*. Ce bouton existe également dans la barre d'outils du mode *Aperçu avant impression* (immédiate-

ment à droite du bouton d'impression). Il affiche la
boîte de dialogue de la Figure 8.6.

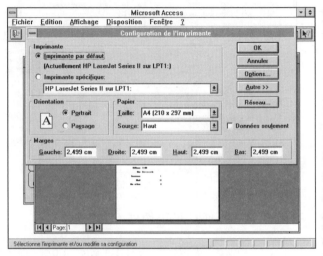

Figure 8.6 : Configuration de l'impression.

La zone *Imprimante* permet de sélectionner l'imprimante
par défaut du système ou une autre imprimante lorsque
plusieurs sont disponibles.

La zone *Orientation* sert à indiquer dans quel sens le
papier doit être utilisé. L'orientation *Portrait* correspond
à une feuille verticale, comme l'indique l'icône affichée à
gauche de la zone. Si vous avez besoin d'une largeur plus
importante, sélectionnez l'orientation *Paysage*.

La zone *Papier* affiche la liste des tailles de papier disponibles avec l'imprimante choisie. L'option *Taille* sert à
indiquer à Access le format choisi mais n'a aucune action
sur l'imprimante. L'option *Source* indique le bac à papier

à utiliser si l'imprimante en comporte plusieurs et permet également de choisir l'alimentation manuelle.

La zone *Marges* sert à indiquer la valeur des marges.

L'option *Données seulement* permet de n'imprimer que les données. Elle est utile si vous employez des formulaires préimprimés. Dans ce cas, les noms des champs et la mise en forme sont déjà imprimés. L'impression est ainsi plus rapide et le résultat de meilleure qualité.

Le bouton *Autre* >> ajoute de nouvelles options à la boîte de dialogue (Figure 8.7). Elles concernent le nombre de colonnes, l'espacement des lignes et des colonnes, la taille des éléments et leur disposition. Si vous réduisez les dimensions des éléments, ils seront tronqués. L'option *Disposition* permet de choisir la façon dont les enregistrements sont disposés si le nombre de colonnes est supérieur à 1. Avec une disposition verticale, le second enregistrement est placé au-dessous du premier. Avec une disposition horizontale, il est placé à sa droite.

Le bouton *Options* de la boîte de dialogue *Configuration* donne accès à des options relatives à l'imprimante utilisée. La boîte de dialogue affichée est identique à celle qui est obtenue avec l'option *Imprimantes* du panneau de configuration. Pour plus de détails à ce sujet, reportez-vous à la documentation de Windows.

Une fois les options configurées, vous pouvez imprimer l'état en cliquant sur le bouton *Imprimer*, dans la barre d'outils, ou en utilisant l'option *Imprimer* du menu *Fichier*. La Figure 8.8 montre la première page de notre état.

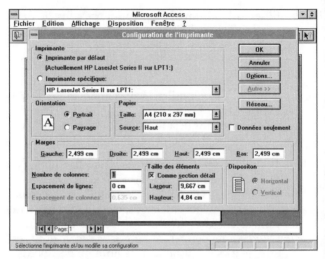

Figure 8.7 : Les options de configuration supplémentaires.

Modification d'un état

Le bouton *Annuler* de la barre d'outils permet de passer en mode *création* afin de modifier l'état. Dans ce mode, on retrouve de nombreux outils déjà étudiés lors de la création de formulaires. En particulier, vous pouvez voir, dans l'angle inférieur gauche de l'écran, la palette des outils. Supprimez son affichage en cliquant deux fois dans sa case de fermeture. La Figure 8.9 montre l'état en mode *création*.

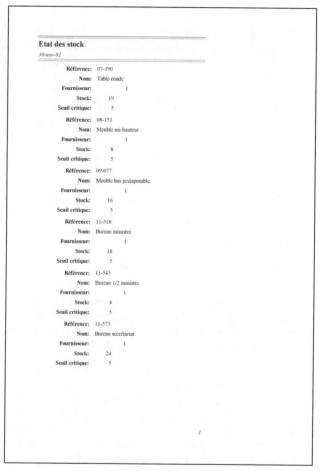

Figure 8.8 : La première page de l'état imprimée.

Vous pouvez voir qu'il comporte pour l'instant cinq zones, dont une est réduite à sa plus simple expression.

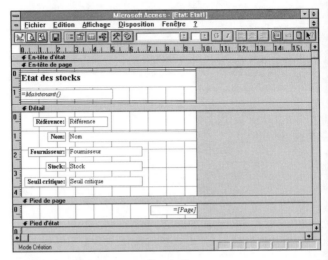

Figure 8.9 : L'état en mode création.

La première zone est intitulée *En-tête d'état.* Dans notre exemple, cette zone a une hauteur nulle et ne contient rien. Les éléments figurant dans la zone *En-tête d'état* sont imprimés une fois, au début de l'état.

On trouve ensuite la zone *En-tête de page.* Elle comporte le titre de l'état et une fonction, *=Maintenant(),* qui affiche la date d'impression de l'état. En fait, cette fonction donne la date et l'heure. Le format qui lui est attribué grâce à la liste des propriétés permet, comme ici, de ne conserver que la date. Les éléments se trouvant dans cette zone sont imprimés en haut de chaque page.

Nous allons modifier l'état pour que son titre soit imprimé uniquement sur la première page. Pour cela, vous devez tout d'abord agrandir la zone *En-tête d'état* en faisant glisser vers le bas la barre de titre de la zone suivante. Procédez comme ceci :

1. Agrandissez la zone *En-tête d'état* en faisant glisser le titre de la section suivante vers le bas.

2. Faites glisser le contrôle contenant le titre dans la section *En-tête d'état*.

3. Faites glisser les éléments de la zone *En-tête de page* vers le haut de la zone.

4. Réduisez la hauteur de la section *En-tête de page*. La Figure 8.10 montre le résultat obtenu.

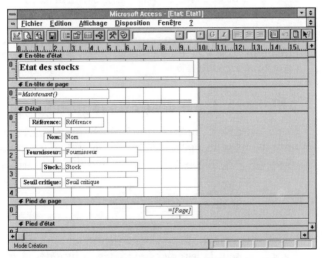

Figure 8.10 : La nouvelle zone En-tête d'état.

5. Affichez le résultat en cliquant sur le bouton *Aperçu*.

La date est maintenant affichée en haut de chaque page. Revenez en mode *création* en cliquant sur le bouton *Fermer la fenêtre* (le premier à gauche de la barre d'outils).

La zone suivante est intitulée *Détail*. Elle contient la liste des champs que nous avons choisis. Elle est répétée autant de fois qu'il y a d'enregistrements dans la table ou la requête sur laquelle notre état est basé.

La zone *Pied de page* contient les éléments qui seront répétés au bas de chaque page. Elle contient la fonction *Page* qui indique le numéro de page.

La zone *Pied d'état* comporte les éléments qui doivent être imprimés à la fin de l'état. Dans notre exemple, cette zone est vide.

Affichage des niveaux de regroupement

Dans la barre d'outils, à droite du bouton *Aperçu* que nous avons utilisé précédemment, on trouve un groupe de quatre boutons dont trois nous sont déjà connus.

Les deuxième, troisième et quatrième boutons affichent respectivement la liste des propriétés, la liste des champs et le code attaché à l'état. Le premier bouton sert à afficher la liste des niveaux de regroupement. Il affiche la boîte de dialogue de la Figure 8.11.

Conformément aux options que nous avons choisies lors de la création, cette liste indique que les enregistrements sont regroupés par fournisseur et classés en ordre croissant, puis par référence, en ordre croissant également.

La présentation de notre état serait améliorée si nous pouvions séparer clairement les fournisseurs. Nous allons le faire très facilement :

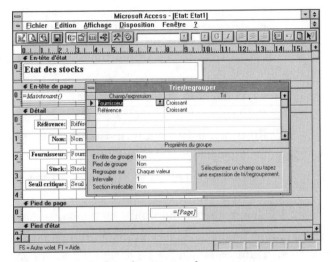

Figure 8.11 : La liste des niveaux de regroupement.

1. Affichez la boîte de dialogue de la Figure 8.11.

2. Sélectionnez la ligne *Fournisseur*. Dans la partie inférieure de la fenêtre sont affichées les propriétés de groupe.

3. Pour la zone *En-tête de groupe*, sélectionnez *Oui*. Sélectionnez *Oui* également pour la zone *Pied de groupe*. Les deux options suivantes permettent d'opérer des regroupements, non pas sur chaque valeur, mais sur des intervalles. On peut ainsi regrouper les clients par chiffre d'affaires : de 0 à 100 000, de 100 000 à 200 000, etc.

4. Refermez la boîte de dialogue. Vous pouvez constater que le formulaire contient maintenant deux zones supplémentaires appelées *En-tête de groupe Fournisseur* et *Pied de groupe Fournisseur*. Les éléments de la première zone seront affichés en début d'état et avant chaque changement de fournisseur. Ceux de la seconde seront affichés après chaque changement de fournisseur et en fin d'état.

5. Faites glisser le champ *Fournisseur* de la zone *Détail* à la zone *En-tête de groupe Fournisseur*.

6. Affichez la boîte à outils en sélectionnant l'option correspondante dans le menu *Affichage*.

7. Cliquez sur l'outil *Trait*, représenté par une ligne oblique.

8. Tracez un trait horizontal au-dessous du champ *Fournisseur*, sur toute la largeur de l'état.

9. Réduisez la hauteur de la zone *En-tête de groupe Fournisseur* pour l'adapter à son contenu.

10. Tracez un second filet dans la zone *Pied de groupe Fournisseur* et réduisez également sa hauteur.

11. Modifiez la disposition de la zone *Détail* pour améliorer la présentation. La Figure 8.12 montre le résultat obtenu. (Nous avons refermé la boîte à outils.)

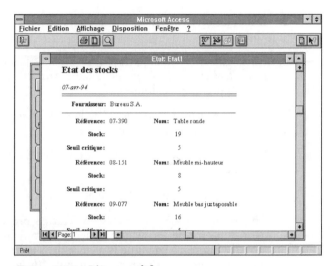

Figure 8.12 : L'état modifié.

Affichez le résultat en cliquant sur le bouton *Aperçu*. Le code des fournisseurs est maintenant affiché au début de chaque groupe. Le résultat serait bien plus lisible si nous pouvions afficher le nom du fournisseur en plus de son code. Celui-ci ne figure malheureusement pas dans la table *Articles*. Il nous faut donc pour cela créer une requête.

Baser un état sur une requête

Pour ajouter le nom des fournisseurs dans notre état, procédez de la façon suivante :

1. Affichez la fenêtre de la base de données, cliquez sur *Requête* puis sur *Nouveau* et créez une requête vierge.

2. Dans la liste des tables, choisissez *Articles* et *Fournisseurs*.

3. Faites glisser les champs *Référence, Nom, Fournisseur, Stock* et *Seuil critique* de la table *Articles* dans les cinq premières colonnes.

4. Faites glisser le champ *Société* de la table *Fournisseurs* dans la sixième colonne.

5. Enregistrez la requête sous le nom *Articles par fournisseur*.

6. Fermez la requête et affichez l'état.

7. Affichez la liste des propriétés de l'état en procédant de la même façon que pour les formulaires (sixième bouton à partir de la gauche dans la barre d'outils ou option *Propriétés* du menu *Affichage*). Si nécessaire, sélectionnez préalablement l'état en utilisant l'option correspondante du menu *Edition*.

8. Dans la zone *Source*, la table *Articles* est indiquée. Cliquez dans cette zone, puis sur le bouton affiché et sélectionnez la requête *Articles par fournisseur* dans la liste déroulante.

9. Refermez la liste des propriétés.

10. Affichez la liste des champs (septième bouton à partir de la gauche dans la barre d'outils ou option *Liste des champs* du menu *Affichage*).

11. Supprimez le champ *Fournisseur* dans la zone *Entête de groupe Fournisseur*.

12. Faites glisser le champ *Société* de la liste des champs jusqu'à la zone *En-tête de groupe Fournisseur*.

13. Remplacez le texte de l'étiquette *Société* par *Fournisseur*.

14. Disposez les éléments comme indiqué sur la Figure 8.13.

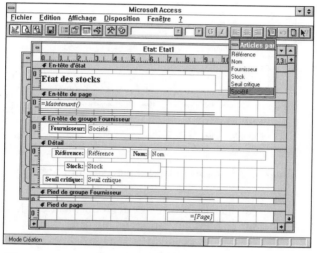

Figure 8.13 : Le champ Société *ajouté.*

15. Cliquez sur le bouton *Aperçu* pour observer le résultat obtenu (Figure 8.14).

Modification des options de regroupement

Notre état est toujours trié par code de fournisseur. Les codes n'étant plus affichés, il serait préférable d'effectuer un tri par nom. Pour cela, procédez de la façon suivante :

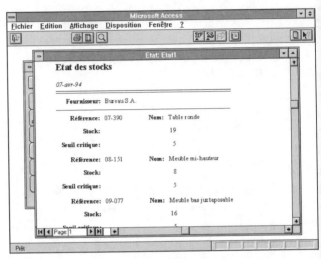

Figure 8.14 : L'état en mode Aperçu avant impression.

1. Affichez les niveaux de regroupement en cliquant sur le bouton correspondant dans la barre d'outils.

2. Dans la boîte de dialogue affichée, cliquez dans la première colonne de la première ligne (contenant le nom de champ *Fournisseur*).

3. Cliquez sur le bouton affiché à droite du nom de champ et sélectionnez *Société*.

4. Refermez la boîte de dialogue.

5. Affichez le résultat. Les fournisseurs sont maintenant classés par ordre alphabétique.

Vous pouvez à présent imprimer l'état en procédant de la façon indiquée au début de ce chapitre. Une fois le résultat imprimé, enregistrez l'état sous le nom **Etat des stocks** et fermez-le.

Créer un état pour imprimer des étiquettes

Une utilisation importante des états est la création d'étiquettes de publipostage. Nous allons créer un état permettant d'imprimer une étiquette pour chaque client. Procédez de la façon suivante :

1. Affichez la fenêtre de la base de données et cliquez sur *Etat*, puis sur *Nouveau*.

2. Sélectionnez la table *Clients*.

3. Cliquez sur le bouton *Assistants*.

4. Sélectionnez l'assistant *Publipostage* et cliquez sur *OK*. La première page de l'assistant est affichée.

5. Dans la liste des champs, sélectionnez le champ *Société*.

6. Cliquez sur le bouton comportant le signe > pour ajouter le champ à l'étiquette.

Nos étiquettes sont destinées à un courrier adressé aux directeurs des sociétés et non aux contacts figurant dans le fichier. Nous ajouterons donc une ligne de texte pour l'indiquer.

7. Passez à la seconde ligne en cliquant sur le bouton *Nouvelle ligne*, juste au-dessous de la liste des champs.

8. Cliquez dans la zone de texte située au-dessous de la liste des champs.

9. Tapez **Monsieur le Directeur**.

10. Cliquez sur le bouton *Texte* situé à droite de la zone de texte.

11. Cliquez sur le bouton *Nouvelle ligne*.

12. Sélectionnez le champ *Adresse* et cliquez sur le bouton >.

13. Cliquez sur le bouton *Nouvelle ligne*.

14. Sélectionnez le champ *Code postal* et cliquez sur le bouton >.

15. Cliquez sur le bouton *Espace*.

16. Sélectionnez le champ *Ville* et cliquez sur le bouton >.

17. Cliquez sur le bouton *Suivant*. La page suivante de l'assistant est affichée. Elle nous permet de sélectionner le champ employé pour le tri des étiquettes.

18. Sélectionnez le champ *Société* et cliquez sur le bouton >.

19. Cliquez sur le bouton *Suivant*. L'assistant vous propose de choisir parmi une quarantaine de formats d'étiquettes normalisés. En sélectionnant l'option *Anglo-Saxon*, vous pouvez choisir parmi une cinquantaine de formats supplémentaires.

20. Sélectionnez le format correspondant aux étiquettes que vous souhaitez employer. Nous choisirons le format L7160, mais tout autre format peut convenir.

21. Cliquez sur *Suivant*.

22. La page suivante vous permet de choisir une police et une taille de caractères. Vous pouvez également sélectionner l'italique ou le souligné, ainsi que l'épaisseur et la couleur des caractères. Cliquez sur *Suivant*.

23. Dans la dernière page de l'assistant, cliquez sur *Terminer*. La Figure 8.15 montre le résultat obtenu.

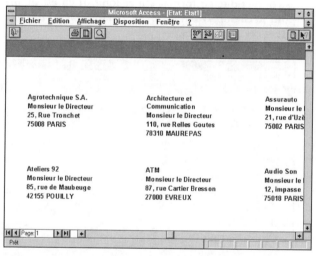

Figure 8.15 : Prévisualisation des étiquettes.

Vous pouvez maintenant imprimer vos étiquettes de la même façon que pour l'état précédent. Une fois l'impression terminée, cliquez sur *Annuler*. Enregistrez l'état sous le nom **Etiquettes clients** et fermez-le.

Créer un état d'analyse des ventes

Nous allons à présent créer un état permettant d'analyser les ventes de l'année mois par mois. Pour cela, nous avons besoin des données correspondantes. Les Figures 8.16 et 8.17 montrent la structure des deux tables à créer. Elles contiendront respectivement les données concernant les factures et celles concernant le détail des lignes de factures. Dans la table *Factures,* le champ *Client* est numérique au format entier long. Il en est de même pour le champ *NumFacture* de la table *Lignes de factures.* Créez ces deux tables.

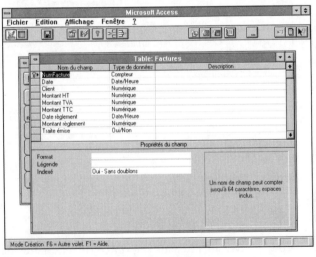

Figure 8.16 : Structure de la table Factures.

Figure 8.17 : Structure de la table Lignes *de factures.*

Création des relations

Il nous faut à présent créer les relations nécessaires entre les tables. La première relation lie les tables *Clients* et *Factures*. Il s'agit d'une relation de type *un à plusieurs*. Les champs à lier sont *NumClient* et *Client*.

Création de la requête

Pour construire un état des ventes mensuelles, nous devons maintenant créer la requête correspondante. Elle contiendra la somme des ventes pour chaque mois. La Figure 8.18 montre la structure de la requête. Elle est basée sur les tables *Articles*, *Lignes de factures* et *Factures*. La première colonne contient la formule suivante :

Mois: PartDate("m";[Factures].[Date])

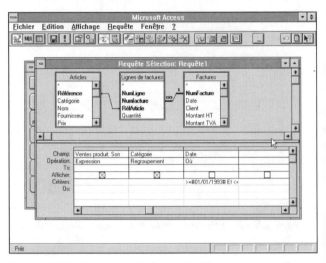

Figure 8.18 : Structure de la requête Ventes mensuelles.

Cette formule donne le mois correspondant à une date.
Vous pouvez la saisir explicitement ou employer le générateur d'expressions. Pour appeler celui-ci, cliquez sur le bouton correspondant de la barre d'outils (celui qui porte trois points). L'opération utilisée est *Regroupement*.
(Pour afficher la ligne *Opération*, utilisez l'option correspondante du menu *Affichage*.)

La deuxième colonne contient la formule :

**Ventes produit: Somme([Lignes de
factures].[Quantité]*[Articles].[Prix])**

Cette formule calcule le montant des ventes en multipliant le prix unitaire par la quantité vendue et en faisant la somme des résultats obtenus pour chaque ligne de facture. L'opération est *Expression*.

La troisième colonne contient le champ *Catégorie*. L'opération employée est *Regroupement*.

La quatrième colonne contient le champ *Date*. L'opération utilisée est *Où*. Dans la zone *Critères*, la formule :

>=#01/01/93# Et <=#31/12/93#

permet de ne sélectionner que les ventes de 1993.

Créez cette requête et enregistrez-la sous le nom **Ventes mensuelles**.

Création de l'état

Pour créer l'état, procédez de la façon suivante :

1. La fenêtre de la base de données étant affichée, cliquez sur le bouton *Requête*.

2. Sélectionnez la requête *Ventes mensuelles*.

3. Dans la barre d'outils, cliquez sur le bouton *Nouvel état* :

4. La fenêtre de création d'un état est affichée et la requête *Ventes mensuelles* est sélectionnée. Cliquez sur le bouton *Assistants*.

5. Sélectionnez l'assistant *Regroupements/totaux* et cliquez sur *OK.*

6. Ajoutez tous les champs à l'état en cliquant sur le bouton >>.

7. Cliquez sur *Suivant.* La deuxième page de l'assistant est affichée.

8. Vous pouvez indiquer trois niveaux de regroupement. Les données étant déjà regroupées par catégorie dans la requête, il nous suffit de choisir un regroupement par mois. Sélectionnez le champ *Mois* et cliquez sur le bouton >.

9. Cliquez sur *Suivant.*

10. L'écran suivant vous permet de sélectionner le type de regroupement. Un regroupement peut être effectué sur des valeurs uniques, ou selon l'appartenance à des intervalles. Dans notre cas, le numéro du mois étant calculé dans la requête, nous choisirons *Valeur unique.* Conservez donc la valeur *Normal* dans la zone *Regrouper,* puis cliquez sur le bouton *Suivant.*

11. L'assistant affiche maintenant la liste des champs pouvant être utilisés pour le tri. Sélectionnez le champ *Catégorie* et cliquez sur le bouton >.

12. Cliquez sur *Suivant.*

13. Sélectionnez la présentation *Exécutif* et cliquez sur *Suivant.*

14. Sélectionnez *Voir l'état avec des données* et cliquez sur *Terminer.* Après un temps plus ou moins long selon la puissance de votre ordinateur, Access affiche le résultat de la Figure 8.19. (Nous avons

agrandi l'affichage en cliquant sur la case Agrandissement de la fenêtre.)

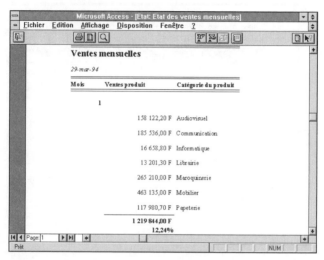

Figure 8.19 : L'état Ventes mensuelles.

Avec la version d'Access dont nous disposons, un petit problème se pose : le résultat du regroupement n'est pas formaté. Nous avons remplacé manuellement le format des contrôles concernés par # ##0,00 F.

Le résultat est satisfaisant, mais il serait préférable d'afficher les noms de mois en clair. Pour cela, procédez de la façon suivante :

1. Enregistrez l'état sous le nom **Etat des ventes mensuelles** et fermez-le.

2. Affichez la fenêtre de la base de données.

3. Sélectionnez la requête *Ventes mensuelles.*

4. Cliquez sur le bouton *Modification*. La requête est affichée (Figure 8.20).

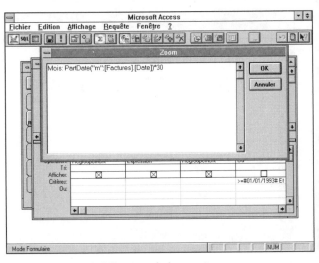

Figure 8.20 : Modification de la requête.

5. Dans la première colonne, modifiez la formule en ajoutant ***30** à la fin, comme indiqué sur la figure. Cette modification permet d'obtenir un numéro de jour au lieu du numéro de mois. Le résultat sera donc une date définie par le nombre de jours écoulés depuis le début de l'année. En choisissant la valeur 30, il semble qu'un problème se pose. En effet, le trentième jour de l'année est bien en janvier, mais le soixantième est le 1ᵉʳ mars. Heureusement, nous sommes sauvés par le fait que les dates sont comptées en jours à partir de 2. Le jour n° 2 est le 1ᵉʳ janvier 1900. (L'année n'a aucune importance puisque nous ne l'afficherons pas.) Le jour n° 60 est donc le 28 février.

6. Enregistrez la requête modifiée.

7. Ouvrez l'état en mode *création*.

8. Dans la section *En-tête de groupe Mois*, sélectionnez le contrôle *Mois* (le seul présent dans cette section).

9. Affichez la liste des propriétés.

10. Pour la propriété *Format*, indiquez *mmmm*.

11. Cliquez sur le bouton *Aperçu*. L'état est maintenant affiché avec les noms de mois en clair (Figure 8.21).

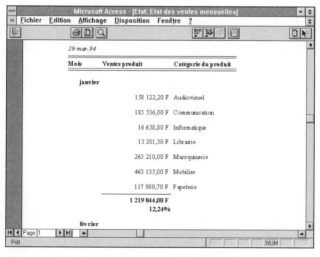

Figure 8.21 : Les noms de mois affichés en clair.

Note : Nous avons employé une astuce pour arriver au résultat souhaité. Une solution normale serait de ne pas grouper les dates par mois dans la requête et de le faire dans l'état. L'inconvénient de cette solution est que la requête ne peut plus être utilisée pour consulter les ventes mensuelles.

Nous avons terminé ce chapitre consacré aux états. Les états offrent d'autres ressources que nous n'avons pas pu étudier ici, faute de place. Cependant, vous en maîtrisez désormais les aspects essentiels.

Automatiser les tâches avec les macros

Vous vous êtes peut-être rendu compte que l'utilisation d'une base de données implique la répétition de tâches qui, bien que simples, deviennent vite fastidieuses. L'automatisation de ces tâches rendrait la base de données plus efficace et son utilisation plus agréable et plus productive. Access permet de créer des petits programmes, appelés macros, qui peuvent être associés, notamment, à des contrôles dans les formulaires.

Une macro peut être exécutée automatiquement lorsqu'un certain événement se produit. Il peut s'agir d'un événement provoqué spécifiquement par l'utilisateur (cliquer sur un bouton, par exemple). L'exécution d'une macro peut également être associée à un événement habituel, comme l'ouverture d'un formulaire, l'activation ou la désactivation d'un champ, la modification d'un enregistrement, etc.

Supposons que vous consultiez une facture. Il peut être intéressant d'afficher l'encours du client correspondant. Vous pouvez le faire en affichant la fenêtre de la base de données, puis en sélectionnant le formulaire et en l'ouvrant de la manière habituelle. Il serait plus pratique d'obtenir le même résultat en cliquant sur un bouton. Cela est réalisable facilement à l'aide d'une macro.

Avant de construire la macro, il nous faut créer le formulaire qu'elle ouvrira. Il sera basé sur la table *Encours*. Faites-le en utilisant l'assistant *Colonne simple*. Sélectionnez les champs *Encours* et *NumClient*. Dans la dernière page de l'assistant, cliquez sur *Modifier le formulaire* puis sur *Terminer*. Supprimez l'en-tête du formulaire. Réduisez le champ *NumClient* à sa plus simple expression et rendez-le invisible en sélectionnant *Non* pour la propriété *Visible*, dans la liste des propriétés. Nommez le formulaire **Encours** et supprimez les barres de défilement, le sélecteur et les boutons de déplacement (dans la liste des propriétés du formulaire). La Figure 9.1 montre le résultat à obtenir. La Figure 9.2 montre le formulaire en mode *création*.

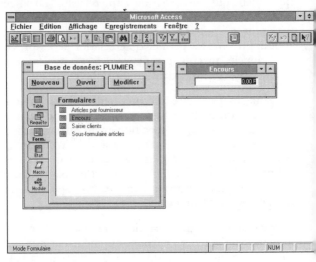

Figure 9.1 : Le formulaire Encours.

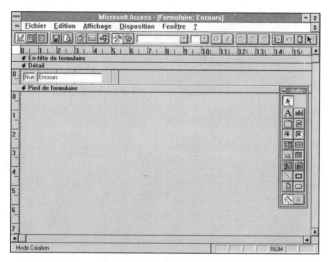

Figure 9.2 : Le formulaire en mode création.

Nous aurons également besoin d'un formulaire principal à partir duquel nous exécuterons la macro. Créez un formulaire à partir de la requête *Liste des clients* et donnez-lui le même nom. La Figure 9.3 montre le formulaire *Liste des clients*.

Création d'une macro ouvrant un formulaire

La macro que nous voulons créer ouvrira simplement le formulaire *Encours*. Sa création ne présente aucune difficulté. Procédez de la façon suivante :

1. Affichez la fenêtre de la base de données.

2. Cliquez sur *Macro*.

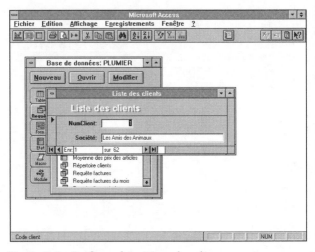

Figure 9.3 : Le formulaire Liste des clients.

3. Cliquez sur *Nouveau.* La fenêtre de la Figure 9.4 est affichée.

La macro que nous allons créer n'effectuera qu'une seule action, l'ouverture du formulaire. Nous pouvons l'indiquer simplement en faisant glisser le formulaire choisi dans la feuille de macro.

4. Affichez la fenêtre de la base de données au premier plan.

5. Cliquez sur le bouton *Form.*

6. Faites glisser le formulaire *Encours* sur la première ligne de la feuille de macro (Figure 9.5).

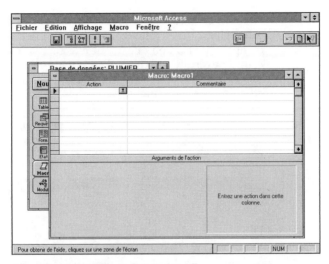

Figure 9.4 : Création d'une nouvelle macro.

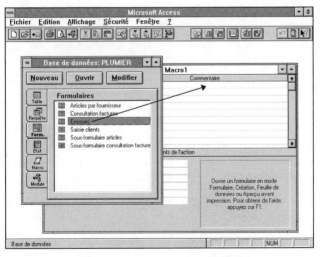

Figure 9.5 : Faites glisser le formulaire Encours.

7. Affichez de nouveau la feuille de macro au premier plan. Vous pouvez constater qu'Access a compris que l'action que devait effectuer la macro était l'ouverture du formulaire (Figure 9.6). La première colonne de la première ligne indique en effet *OuvrirFormulaire*.

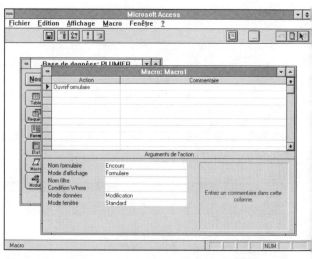

Figure 9.6 : La première ligne de la macro remplie automatiquement.

Notez, au bas de la fenêtre, que les paramètres ont également été configurés automatiquement. Nous allons modifier deux de ces paramètres.

8. Dans la ligne *Mode données*, sélectionnez *Lecture seule*.

9. Dans la ligne *Mode fenêtre*, sélectionnez *Boîte de dialogue*.

10.   Enregistrez la macro sous le nom **Encours** et fermez-la.

11.   La macro étant toujours sélectionnée, cliquez deux fois sur *Encours*. Le formulaire *Encours* est ouvert, comme on peut le voir sur la Figure 9.7. Vous pouvez constater que la fenêtre ne comporte pas de case d'agrandissement et de réduction. Cela est dû au fait que la macro ouvre le formulaire en mode *boîte de dialogue*. De même, vous ne pouvez activer aucune autre fenêtre avant d'avoir fermé celle-ci en cliquant deux fois dans la case du menu Système ou en tapant ALT+F4.

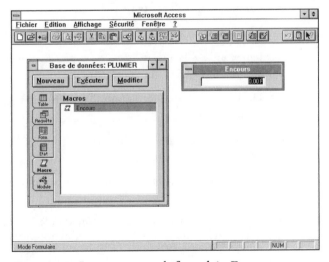

Figure 9.7 : La macro ouvre le formulaire Encours.

Ajouter un bouton à un formulaire pour exécuter une macro

Pour que notre macro soit accessible facilement à partir du formulaire *Liste des clients*, nous allons ajouter un bouton à celui-ci. Cette opération est extrêmement simple :

1. Ouvrez le formulaire en mode *création*.

2. Déplacez la fenêtre de façon à faire apparaître la fenêtre de la base de données.

3. Cliquez dans celle-ci pour l'activer.

4. Cliquez sur le bouton *Macro*.

5. Faites glisser la macro *Encours* sur le formulaire, comme indiqué sur la Figure 9.8.

   Un bouton portant le nom de la macro est maintenant affiché.

6. Cliquez dans la fenêtre du formulaire pour l'afficher au premier plan.

7. Faites glisser la fenêtre du formulaire au milieu de l'écran.

8. Agrandissez légèrement le bouton vers le bas afin que le texte qu'il contient soit affiché correctement.

9. Passez en mode *formulaire*. Sélectionnez l'enregistrement n° 16. Pour exécuter la macro, cliquez simplement sur le bouton *Encours*. La Figure 9.9 montre le résultat obtenu.

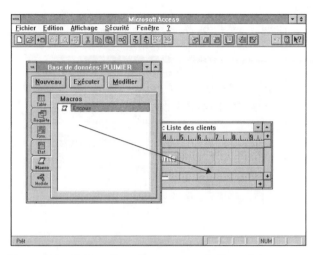

Figure 9.8 : Faites glisser la macro sur le formulaire.

Tout semble fonctionner, à l'exception d'un détail. La valeur affichée dans le formulaire *Encours* ne correspond pas à celle de l'encours du client de la facture n° 16.

En effet, la macro ouvre bien le formulaire *Encours*, mais en affichant la valeur correspondant au premier enregistrement de la requête (la société *Les Amis des Animaux*). Comme nous n'avons pas inclus de façon visible le numéro d'enregistrement ni les barres de défilement, il nous est impossible d'afficher la valeur correcte. Nous pouvons cependant modifier la macro de façon à synchroniser les formulaires, c'est-à-dire à afficher l'encours correspondant au client de la facture.

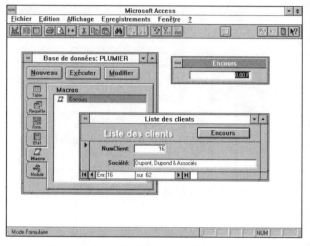

Figure 9.9 : Affichage du formulaire Encours *à l'aide du bouton.*

Synchroniser les formulaires

Pour synchroniser les formulaires, procédez de la façon suivante :

1. Affichez la fenêtre de la base de données. (Vous devez d'abord refermer le formulaire *Encours.*)

2. Cliquez sur le bouton *Macro.*

3. Sélectionnez la macro *Encours.*

4. Cliquez sur le bouton *Modifier.*

5. La première ligne de la macro étant sélectionnée, cliquez dans la zone *Condition Where*, au bas de la fenêtre. La formule que vous devez obtenir est la suivante :

[NumClient]=[Formulaires]![Liste des clients]![NumClient]

Cette formule est assez longue et complexe à saisir. De plus, sa syntaxe n'est pas évidente. C'est dans un cas comme celui-ci que l'utilisation du générateur d'expression se révèle particulièrement intéressante.

6. Cliquez sur le bouton d'appel du générateur d'expression, à droite de la zone *Condition Where* :

La fenêtre du générateur est affichée (Figure 9.10).

7. Cliquez deux fois sur l'icône *Formulaires* :

8. Cliquez deux fois sur l'icône *Tous les formulaires.*

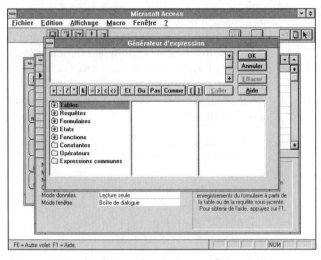

Figure 9.10 : La fenêtre du générateur d'expression.

9. Dans la liste des formulaires affichée, sélectionnez *Encours*. La liste des contrôles de ce formulaire est affichée dans la deuxième colonne. La troisième colonne comporte la liste des propriétés du contrôle sélectionné. Sur la Figure 9.11, la liste des propriétés du formulaire est affichée.

10. Dans la colonne du milieu, cliquez deux fois sur le nom de champ *NumClient*. Ce nom est copié dans la zone d'expression, en haut de la fenêtre (Figure 9.12).

11. Cliquez sur le signe = :

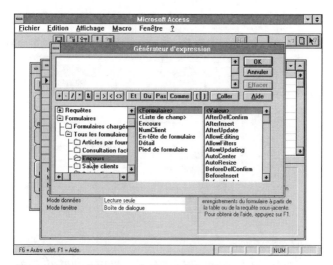

Figure 9.11 : Sélection du formulaire Encours.

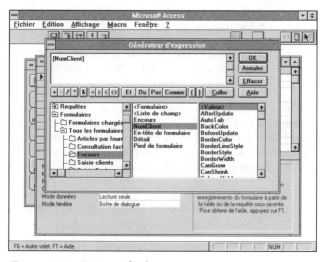

Figure 9.12 : Le nom de champ copié.

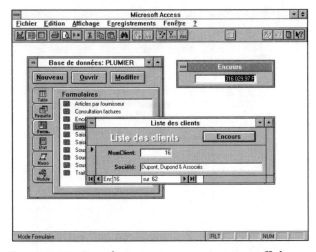

Figure 9.13 : La valeur correcte est maintenant affichée.

12. Dans la colonne de gauche, cliquez sur le formulaire *Liste des clients*.

13. Dans la colonne du milieu, cliquez deux fois sur *NumClient*. La formule complète est inscrite dans la zone d'expression.

Cette formule indique que le champ *NumClient* du formulaire courant (*Encours*) doit être égal au champ *NumClient* du formulaire *Liste des clients*. Voilà pourquoi nous avons inclus le champ *NumClient* dans le formulaire *Encours* bien que nous n'ayons pas besoin de l'afficher.

14. Fermez le générateur d'expression en cliquant sur *OK.*

15. Enregistrez et fermez la macro.

16. Affichez le formulaire *Liste des clients*.

17. Cliquez sur le bouton *Encours*. Cette fois, la valeur correcte est affichée (Figure 9.13).

Dans ce chapitre, nous n'avons fait qu'aborder l'utilisation des macros. Il existe bien d'autres possibilités que nous n'avons pas pu étudier faute de place. L'utilisation de conditions dans les macros permet en particulier de réaliser des fonctions beaucoup plus puissantes. Pour plus de détails, reportez-vous aux Chapitres 21 à 24 de la documentation d'Access.

Index

SYBEX

dans le monde entier

FRANCE
10-12, villa cœur-de-vey
75685 PARIS Cedex 14
Tél. : (1) 40 52 03 00
Télécopie : (1) 45 45 09 90
MINITEL 3615 SYBEX

U.S.A.
2021 Challenger Drive
Alameda - California 94501
Tél. : (510) 523 82 33
Télécopie : (510) 523 23 73
Telex : 336311

R.F.A.
Sybex Verlag Gmbh
Postfach 150361
Erkrather Straße 345-349
40080 Düsseldorf
Tél. : (211) 9739-0
Télécopie : (211) 9739-199

PAYS-BAS
Birkstraat 95
3760 DD Soest
Tél. : (2155) 276 25
Télécopie : (2155) 265 56

distributeurs étrangers

BELGIQUE FRANCOPHONE
Presses de Belgique
117, boulevard de l'Europe
1301 Wawre
Tél. : (010) 41 59 66

SUISSE *(Librairies)*
Office du Livre
Case Postale 1061
CH-1701 Fribourg
Tél. : (37) 835 111

ESPAGNE
Diaz de Santos
Lagasca, 95
28008 Madrid

MAROC
SMER Diffusion
3, rue Ghazza
Rabat

TUNISIE & LYBIE
Librairie de l'Unité Africaine
14, rue Zarkoun
Tunis

BELGIQUE NEERLANDAISE
Wouters
Groenstraat, 178
B-3001 Heverlee
Tél. : (016) 40 39 00

SUISSE *(Grands magasins et computer shops)*
Micro Distribution SA
2, route du Pas de l'Echelle
CH-1255 Genève Veyrier
Tél. : (022) 784 34 82

CANADA
Diffulivre
817, rue Mac Caffrey
Saint-Laurent - Québec H4T 1N3
Tél. : (514) 738 29 11

PORTUGAL
Lidel
Rua D. Estefânia, 183, r/c.-Dto.
1096 Lisboa Codex

ALGERIE
E.N.A.L.
3, boulevard Zirout Youcef
Alger

SYBEX SARL au capital de 2 886 700 F - RC Paris B 305 418 436 000 47

SYBEX

Les **Editions Sybex** vous proposent différents services destinés à vous aider à développer votre expérience de la micro-informatique et à nous aider à parfaire nos publications :

- Disquettes d'accompagnement
- Informations concernant les nouveautés
- Envoi de nos catalogues régulièrement mis à jour
- Dialogue constant avec le lecteur.

RECEVEZ UNE INFORMATION DÉTAILLÉE
SUR NOS PROCHAINS TITRES

Remplissez très lisiblement le bulletin ci-dessous et retournez-le sous enveloppe affranchie à :

Editions Sybex
10-12, villa cœur-de-vey
75014 Paris

CATALOGUES - INFORMATIONS REGULIERES - OFFRES -

Adresse :
Société ....
Nom ....
Prénom ....
Adresse..
....
Ville ....
Code Postal .... Tél. ....

Votre matériel :   ☐ PC   ☐ Macintosh

Secteur d'activité :	*Nombre de salariés :*	*Centres d'intérêts principaux (à détailler) :*
☐ administration	☐ 1 / 20 salariés	☐ langages ....
☐ enseignement	☐ 21 / 50	☐ logiciels ....
☐ industrie	☐ 51 / 100	☐ applications de gestion ....
☐ commerce	☐ 101 / 200	☐ microprocesseurs ....
☐ services	☐ 201 / 500	☐ systèmes d'exploitation ....
☐ prof. libérale	☐ + 500	☐ PAO-CAO-DAO ....
☐ autre :		☐ grand public ....
....		☐ Multimédia ....

10-12, villa cœur-de-vey
75014 PARIS
TÉL. : (1) 40 52 03 00
FAX : (1) 45 45 09 90

SYBEX

Un dialogue permanent avec vous...

• Vous souhaitez être informé régulièrement de nos parutions, recevoir nos catalogues mis à jour, complétez le recto de cette carte.

• Vous souhaitez participer à l'amélioration de nos ouvrages, complétez le verso de cette carte.

DES LIVRES PLUS PERFORMANTS GRACE A VOUS

Communiquez-nous les erreurs qui auraient pu nous échapper malgré notre vigilance, ou faites-nous part simplement de vos commentaires. Retournez cette carte à : **Service Lecteurs Sybex** - 10-12, villa cœur-de-vey - 75014 Paris

Nom .... Prénom ....

Adresse ....

Ville ....

Cd Postal .... Tél. ....

Vos commentaires : (ou sur papier libre en joignant cette carte)

....

....

....

....

Achevé d'imprimer le 27 avril 1994 sur les presses de l'Imprimerie «La Source d'Or»
63200 Marsat - Dépôt légal : 2ᵉ trimestre 1994 - Imprimeur n° 5211

aquelles

10*04*04

1 . . . . 4.00 TI
1 . . . 10.00 TI
1 . . . . 3.49 TI
. . . . . 2.62 TI
. . . . 20.11 TL
oo 20.11
0013   01
11.11